# 고객이 반드시 물어보는 질문 30가지

간병보험

| 생명보험 | 고령화시대 필수보험 | "긴병에 효자없다"라고 합니다.<br>자식들에게 장기간병의<br>금전적·시간적 짐을 지우시겠습니까? |

# 간병보험

**고반물질30**은 **다모아미디어**의 고유자산으로 무단 전제·복제 및 임의 사용시 저작권법 위반으로 5년이하의 징역 혹은 5천만원 이하의 벌금형이 부과됩니다.

# 목차

1. 간병보험이 뭔가요?
2. 간병보험은 왜? 가입해야 하나요?
3. 치매노인 증가추이 및 전망?
4. 숫자로 보는 치매?
5. 노인장기요양보험 등급 인정자들에게 제일 많이 발생하는 질병에 대해 자세히 설명해 주세요?
6. 간병보험 가입시 주의할 점 _ 7가지?
7. 중증치매상태(CDR척도)와 일상생활장해상태(ADLs)란 어떤 상태를 말하나요?
8. 손해·생명보험은 치매/간병에 대한 기준이 다르다면서요?
9. 장기요양등급(손보)에 대해 자세히 설명해 주세요?
10. CDR척도(생보)에 대해 자세히 설명해 주세요?
11. 요양병원과 요양원의 차이에 대해 설명해 주세요?
12. '노인장기요양보험'에 대해 쉽게 설명해 주세요?
13. '노인성질병'에 대해 자세히 설명해 주세요?
14. '치매의 종류'에 대해 자세히 설명해 주세요?
15. 노인장기요양보험 서비스이용절차에 대해 알려주세요?
16. 노인장기요양보험 서비스중 '①신청'은 어떻게 하나요?
17. 노인장기요양보험 서비스중 '②인정조사'는 어떻게 하나요?
18. 노인장기요양보험 서비스중 '③등급판정'은 어떻게 하나요?
19. 노인장기요양인정 '③ 등급판정(1등급~5등급)'은 어떻게 하나요?
20. 노인장기요양보험 서비스중 '④이용계획서'는 어떻게 작성 하나요?
21. 노인장기요양보험 서비스중 '⑤결과통지'는 어떻게 알려 주나요?
22. 노인장기요양보험 서비스중 '⑥서비스이용(재가급여)'는?
23. 노인장기요양보험 서비스중 '⑥서비스이용(시설급여/가족요양비)'는?
24. 치매환자 관리비용이 엄청부담이라데 연간비용이 얼마나 들까요?
25. 간병인을 쓰려고 하는데 간병비는 얼마나 들까요?
26. 간병인 사용시 보장해주는 보험이 있다면서요?
27. 남자와 여자의 간병준비는 달라야 한다면서요?
28. 노인복지제도 중 '기초연금제도'가 뭔가요?
29. 치매정책 선진사례_네덜란드[호그벡마을]
30. 해외 주요 국가들의 치매정책

고반물질30은 다모아미디어의 고유자산으로 무단 전제·복제 및 임의 사용시 저작권법 위반으로 5년이하의 징역 혹은 5천만원 이하의 벌금형이 부과됩니다.

# 목차 [질문 1~10번]

1. 간병보험이 뭔가요?
2. 간병보험은 왜? 가입해야 하나요?
3. 치매노인 증가추이 및 전망?
4. 숫자로 보는 치매?
5. 노인장기요양보험 등급 인정자들에게 제일 많이 발생하는 질병에 대해 자세히 설명해 주세요?
6. 간병보험 가입시 주의할 점 _ 7가지?
7. 중증치매상태(CDR척도)와 일상생활장해상태(ADLs)란 어떤 상태를 말하나요?
8. 손해·생명보험은 치매/간병에 대한 기준이 다르다면서요?
9. 장기요양등급(손보)에 대해 자세히 설명해 주세요?
10. CDR척도(생보)에 대해 자세히 설명해 주세요?

간병보험

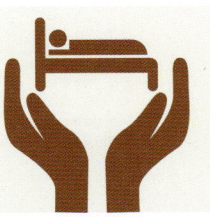

**질문 01: 간병보험**이 뭔가요?

'**치매**를 **포함**한 **노인성 질환**으로 인해 가입자가 **활동불능 상태**에 도달해 **장기간 간병**을 **요하는 상태**가 되었을 경우, **치료비**와 **간병비**를 지급 **받는 보험**'

국민건강보험공단의 장기요양등급 판정시 **간병비**를 **장기요양자금 (매월 또는 일시불)** 및 **간병자금**을 **정액**으로 지급받는 **보험**

| 구분 | 치매보험 | 간병보험 |
|---|---|---|
| 보장내역 | 치매만 보장 | 치매와 상해, 질병으로 장기 요양상태시 보장 |

예측하지 못한 **질병**과 **사고에 대비**, **자녀들**이나 **가족들**에게 **간병부담**을 **줄이게** 해줄 수 있는 **100세시대 필수보험**

'**간병≠치매**' -> '**간병 ≥ 치매**'로 정의 : 간병은 치매를 포함하는 포괄적 개념

## 질문 02: 간병보험은 왜? 가입해야 하나요?

### 1. 우리나라 연간 간병비 규모 4조원대

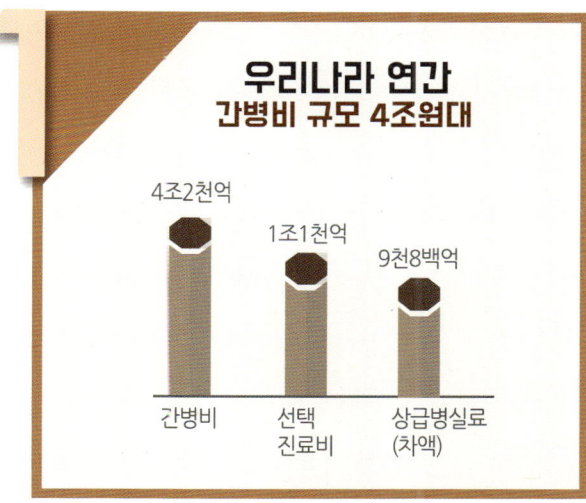

- 간병비: 4조2천억
- 선택진료비: 1조1천억
- 상급병실료(차액): 9천8백억

### 2. 요양병원과 요양원 비교 - 환자급증

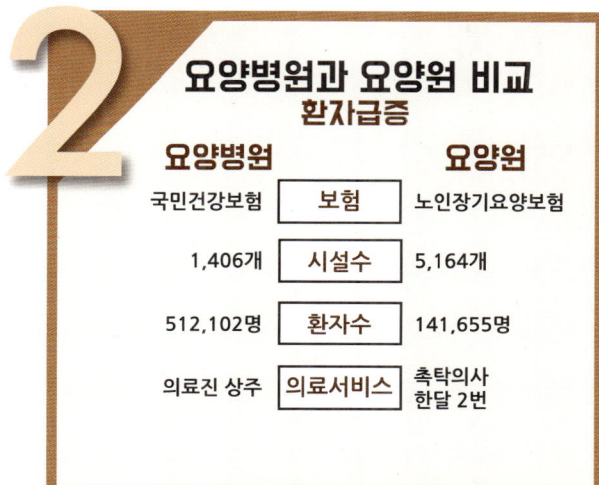

| 요양병원 | | 요양원 |
|---|---|---|
| 국민건강보험 | 보험 | 노인장기요양보험 |
| 1,406개 | 시설수 | 5,164개 |
| 512,102명 | 환자수 | 141,655명 |
| 의료진 상주 | 의료서비스 | 촉탁의사 한달 2번 |

### 3. 중증환자의 36.6% 간병인 서비스 이용중

간병인서비스 36.6%

### 4. 간병인 24시간 고용시 월평균 210만원

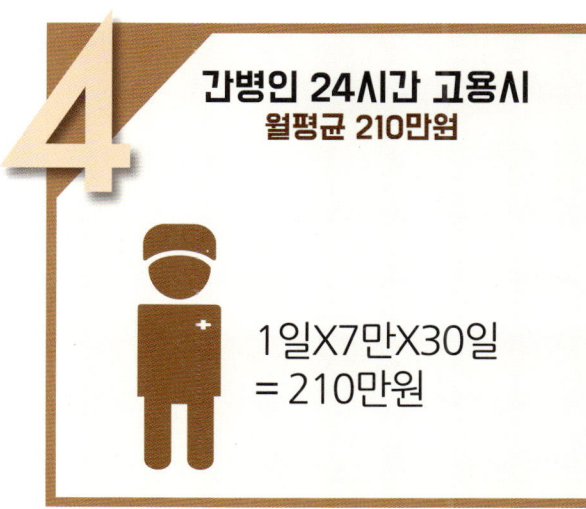

1일X7만X30일 = 210만원

### 5. 경제적 부담으로 가족간병 환자비율 급증

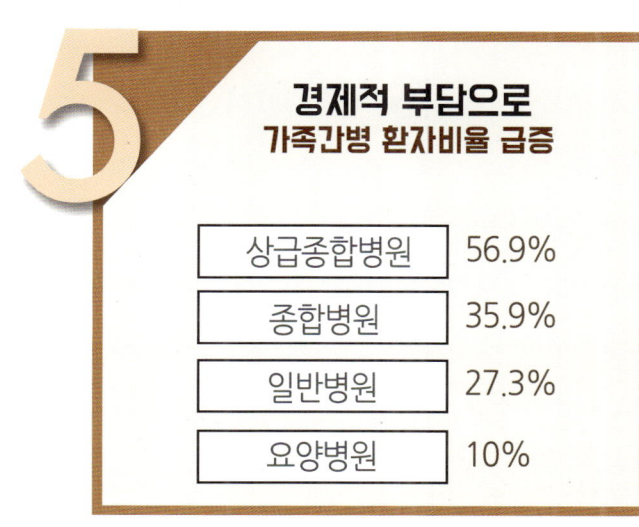

- 상급종합병원: 56.9%
- 종합병원: 35.9%
- 일반병원: 27.3%
- 요양병원: 10%

### 6. 간호사 부족으로 보호자의 간병비 부담 가중

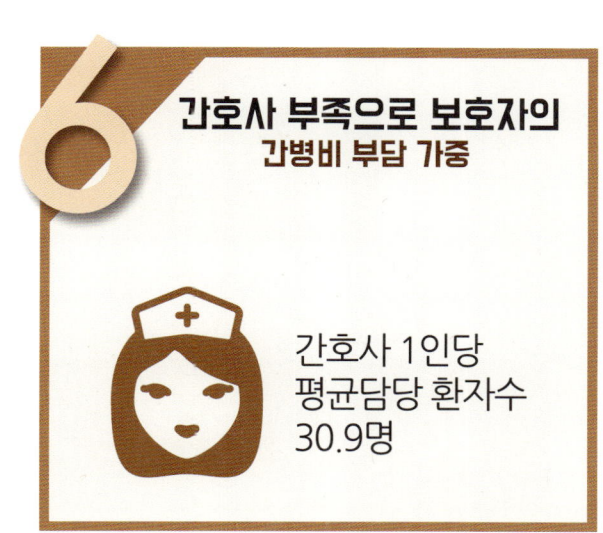

간호사 1인당 평균담당 환자수 30.9명

**질문 03: 치매노인 증가추이 및 전망?**

## 치매 : 15분마다 1명씩 증가
## 2040년에는 217만까지 증가!!!

**69만명**
2016년

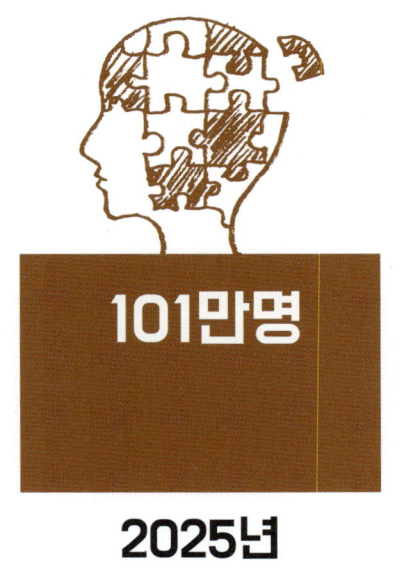
**101만명**
2025년

**217만명**
2040년

**2040년 우리는 217만명의 치매노인들과 함께 살아가야 합니다.**

출처 : 중앙치매센터, 2020년

고반물질30은 다모아미디어의 고유자산으로 무단 전제·복제 및 임의 사용시 저작권법 위반으로 5년이하의 징역 혹은 5천만원 이하의 벌금형이 부과됩니다.

## 질문 04 : 숫자로 보는 "치매"

**간병보험**

**1위** — 노인성질환 1위 (중앙치매센터, 23.12월)

**2.9배** — 여성 > 남성의 치매비율 (국민건강보험, 2023년)

**10.4%** — 혈관성치매비율 (보건의료빅데이터, 2023년)

**3.4%** — 노인 치매환자비율 (중앙치매센터, 23년)

**10시간** — 하루평균 간병시간 (환자보호자인식조사, 21년)

**15.5%** — 65세이상 치매 중증환자비율 (중앙치매센터, 22.9월)

**39만명** — 노인장기요양보험 수급자중 치매환자수 (국민건강보험공단, 2023년)

**43%** — 노인에게 가장 두려운 질병 1위 (중앙치매센터, 22.9월)

**47%** — 치매환자 보호자 경제활동 포기 (대한치매학회, 22.9월)

**100만명** — 24년 치매예상환자수 (중앙치매센터, 2023년)

**87.7%** — 알츠하이머치매비율 (보건의료빅데이터, 2023년)

**90가지** — 치매의 원인 (질병관리청, 22.9월)

**102만명** — 노인장기요양보험 인정자 (국민건강보험, 2023년)

**994만명** — 65세이상 노인인구 (국민건강보험, 2024.1월)

**2265만** — 치매환자 연간치료비용 (중앙치매센터, 2021년)

고반물질30은 다모아미디어의 고유자산으로 무단 전제·복제 및 임의 사용시 저작권법 위반으로 5년이하의 징역 혹은 5천만원 이하의 벌금형이 부과됩니다.

**질문 05**

# 노인장기요양보험 등급 인정자들에게 제일 많이 발생하는 질병에 대해 자세히 설명해 주세요?

## 다빈도질병 입원환자 현황_65세이상 (남여전체)

(단위 : 명)

| 순위 | 질병명칭 | 질병코드 | 환자수 |
|---|---|---|---|
| 1 | 노년성 백내장 | H25 | 231,115 |
| 2 | 감염성 및 기생충성 질환에 대한 특수선별검사 | Z11 | 184,268 |
| 3 | 알츠하이머병에서의 치매 | F00 | 113,494 |
| 4 | 뇌경색증 | I63 | 77,817 |
| 5 | 무릎관절증 | M17 | 76,039 |
| 6 | 기타척추병증 | M48 | 66,857 |
| 7 | U07의 응급사용 | U07 | 64,038 |
| 8 | 상세불명의 폐렴 | J18 | 61,254 |
| 9 | 요추 및 골반의 골절 | S32 | 54,595 |
| 10 | 협심증 | I20 | 52,983 |
| 11 | 기타 추간판장애 | M51 | 49,380 |
| 12 | 늑골, 흉골 및 흉추의 골절 | S32 | 46,191 |
| 13 | 감염성 및 상세불명 기원의 기타 위장염 및 결장염 | A09 | 43,660 |
| 14 | 대퇴골의 골절 | S72 | 43,078 |
| 15 | 어지럼증 및 어지럼 | R42 | 41,792 |
| 16 | 의심되는 질병 및 병태를 위한 의학적 관찰 및 평가 | Z03 | 38,782 |
| 17 | 2형 당뇨병 | E11 | 37,832 |
| 18 | 기타 패혈증 | A41 | 37,768 |
| 19 | 어깨병변 | M75 | 35,937 |
| 20 | 기관지 및 폐의 악성신생물 | C34 | 33,928 |

(KOSIS 국가통계포털, 2021년)

### ▢ 다빈도질병 대표 질병

백내장/치매/뼈/심·뇌혈관질환/당뇨병/암 등

**65세노인들이 주로발생하는 노인성질병**에 해당되는 질병으로 장기요양상태가 되면 **노인인장기요양보험**의 혜택을 받습니다.

### ▢ 노인골절 : 암보다 더 무섭고 조심!!!

왼쪽 약관 **9번, 12번, 14번**까지는 노인에게는 암보다 더 무섭다는 "**노인골절**"

※ 특히 고관절 골절은 와병상태나 제 질병들의 합병증을 유발시켜 환자본인의 삶의 질이 현저히 떨어질 뿐만아니라 가족들까지 돌봄, 간병, 재활에 따른 심각한 문제가 발생 하며 장기간병후 사망에 이르게 됨으로 노인골절은 특히 조심할 필요가 있다.

**질문 06**

# 간병보험 가입시 주의할 점 _ 7가지

간병보험

### 가입하고 있는 보험상품의 내역 확인!
가입되어 있는 보험상품의 보장내역을 확인하여 부족한 부분을 보완할 수 있게 상품을 선택

### 보장기간 체크!
보장기간은 길게, 종신 또는 100세(80세)까지 보장, 간병보험은 보장기간이 길 수록 받을 가능성 커짐

### 진단기준이나 보험료 수준 확인!
진단기준은 등급이 낮아도 지급되는 상품(경증), 보험금 지급과 확인기간이 짧은 상품 선택

### 보험료 납입기간 체크!
본인의 소득과 시기를 고려, 자녀가 부모를 위해 가입하는 경우라면 자녀의 상황에 맞게 선택

### 보험료 줄이려면 순수보장형으로 가입!
실버보험은 대부분 고령층, 보험료가 높아 만기환급금보다는 보장 자체에 비중을 두고 선택

### 하루라도 빨리 가입!
고령층의 경우 갑작스런 질병, 보장금액 축소, 가입거절등이 발생하므로 하루라도 빨리 가입

### 사망보장 특약 확인!
사망보장특약 : 사망시 장례비로 활용가능, 사망보장특약 적절히 활용할 필요가 있음

고반물질30은 다모아미디어의 고유자산으로 무단 전제·복제 및 임의 사용시 저작권법 위반으로 5년이하의 징역 혹은 5천만원 이하의 벌금형이 부과됩니다.

## 질문 07: 중증치매상태(CDR척도)와 일상생활장해상태(ADLs)란 어떤 상태를 말하나요?

 **간병보험 진단비** 지급 : '**중증치매**' 또는 '**일상생활장해상태**' 전문의 소견시

| 중증치매상태 (CDR척도) | 구분 | 일상생활장해상태(ADLs) |
|---|---|---|
| **재해** 또는 **질병**이 원인이 되어 **치매가 발생**하고, 이로 인해 **중증**의 **인지기능 장애**가 발생한 상태 | 분류 | **특별한 보조기구**(휠체어, 목발, 의수 등)를 **사용하여도** 생명 유지에 필요한 **일상생활 기본동작**들을 스스로 **할 수 없는상태** |
| 인지기능의 장애란 **CDR척도** 검사 결과 **3점이상**에 해당하는 상태 (※3점,4점,5점의 상태) | 세부 상태 | 다른 사람의 도움 없이는 **샤워** 또는 **목욕**을 **전혀 할 수 없는 상태** 또는 **식사를 할 수 없는 상태** |
| 피보험자를 진료하고 있는 **치매관련 전문의 자격증**을 가진 **의사의 객관적인 소견**이 필요 | 진단 결정자 | 피보험자를 진료하고 있는 **치매관련 전문의 자격증**을 가진 **의사의 객관적인 소견**이 필요 |
| 진단일로부터 90일이 지난 후 보험사가 피보험자의 '**중증치매상태**'가 계속 지속됨을 확인 할 때 최종 진단을 확정 | 진단 확정 | 진단일로부터 90일이 지난 후 보험사가 피보험자의 '**일상생활장해상태**'가 계속 지속됨을 확인 할 때 최종 진단을 확정 |

**고반물질30**은 다모아미디어의 고유자산으로 무단 전제·복제 및 임의 사용시 저작권법 위반으로 5년이하의 징역 혹은 5천만원 이하의 벌금형이 부과됩니다.

## 질문 08: 손해·생명보험은 치매/간병에 대한 기준이 다른가요?

**간병보험**

| 생명보험 | 구분 | 손해보험 |
|---|---|---|
| CDR척도 (치매임상평가척도) | 분류 | 장기요양등급 |
| ※ Clinical Dementia Rating의 약자 기억력, 지남력, 판단력등 6가지 영역에 대한 평가를 거쳐 0, 0.5, 1, 2, 3, 4, 5 총 7개의 점수로 치매를 평가함 | 정의 | 65세이상 노인 또는 65세미만의 자로서 치매, 뇌혈관질환등 노인성질병을 가진 자 중에서 6개월이상 혼자서 일상생활을 수행하기 어렵다고 인정되는 자들을 등급분류 |
| ▫ 치매에 대한 세세한 등급으로 나눠지므로 CDR1은 요양등급 5급에 해당됨<br>▫ 현재 5급은 보장이 되지 않지만, CDR1은 보장되는 보험이 있음<br>▫ 신체상태가 양호한 경우에도 경증치매를 받을 수 있음 | 장점 | ▫ 치매질환이 아니어도 요양이 필요한 경우 신청이 가능<br>▫ CDR척도는 치매증상만 확인하므로 상대적으로 장기요양등급이 범위가 넓음<br>▫ 장기요양등급으로 판정하는 손보사의 경우 질병후유장해도 가입 가능 |
| ▫ 대부분의 보험이 중증치매만 보장하는데 이는 CDR척도 3이상이라 확률이 낮음<br>▫ CDR척도는 치매만 보장하므로 장기요양 등급보다는 범위가 작음<br>▫ 중증치매를 보장하는 생보사의 경우 질병후유장해 특약이 없음 | 단점 | ▫ 경증치매인 5급이나 등급외 판정시 보장 받을 수 없음<br>▫ 등급판정기간이 존재해 의사가 판정하는 CDR보다 기간이 오래 걸릴 수 있음 |

# 질문 09: 장기요양등급 [손보]에 대해 자세히 설명해 주세요?

| 장기요양 등급 | 심신의 기능상태 | 장기요양점수 | 인원(명) | 비율 |
|---|---|---|---|---|
| 1등급 | 심신의 기능상태 장애로 일상생활에서 **전적으로** 다른 사람의 도움을 필요한 자 | 95점 이상 | 50,000 | 4.9% |
| 2등급 | 심신의 기능상태 장애로 일상생활에서 **상당부분** 다른 사람의 도움이 필요한 자 | 75점이상~95점미만 | 94,000 | 9.2% |
| 3등급 | 심신의 기능상태 장애로 일상생활에서 **부분적으로** 다른 사람의 도움이 필요한 자 | 60점이상~75점미만 | 114,000 | 27.3% |
| 4등급 | 심신의 기능상태 장애로 일상생활에서 **일정 부분** 다른 사람의 도움이 필요한 자 | 51점이상~60점미만 | 459,000 | 45.1% |
| 5등급 | **치매환자**로서 **장기요양**이 필요한 자 | 45점이상~51점미만 | 114,000 | 11.2% |
| 등급외 A | 장기요양 **5등급을 제외**한 **등급외 A** | 45점이상~51점미만 | | |
| 등급외 B | 장기요양 **5등급을 제외**한 **등급외 B** | 40점이상~45점미만 | 23,400 | 2.3% |
| 등급외 C | 장기요양 **5등급을 제외**한 **등급외 C** | 40점미만 | | |

('2022년 노인장기요양보험 통계연보, 국민건강보험공단, 2023년)

고반물질30은 다모아미디어의 고유자산으로 무단 전제·복제 및 임의 사용시 저작권법 위반으로 5년이하의 징역 혹은 5천만원 이하의 벌금형이 부과됩니다.

## 질문 10: CDR척도(치매임상평가척도) [생보]에 대해 자세히 설명해 주세요?

### 치매의 판단 (CDR척도) : 3점이상이 '중증'

: 정신건강의학과 또는 신경정신과 전문의가 기억력, 지남력 등에 관련되는 질문으로 치매 진단하는 인지기능 검사

=> **보험금지급 : CDR척도의 검사결과가 90일 이상 지속되는 상태일 경우**

| 척도 | 심신의 기능상태 | 상태 | 비율 | 장해지급률 |
|---|---|---|---|---|
| CDR 0 | □ 경미한 건망증<br>□ **정상** | 정상 | - | - |
| CDR 0.5 | □ 지속적인 건망증<br>□ 장애가 있다고 판단하기 **불확실**한 상태 | 불확실 | 17.4% | - |
| CDR 1 | □ 기억장애 (**일상생활 지장 있음**)<br>□ 집안생활, 사회활동 장애는 있으나 정상활동 | 경도 | 41.4% | - |
| CDR 2 | □ 반복된 과거 기억만 기억함 (**새로운 기억은 잊어 버림**)<br>□ 간단한 집안일 가능하고 집 밖에서도 활동 가능 | 중등도 | 25.7% | 40% |
| CDR 3 | □ 심한기억장애 (사람에 대한 인지능력만 유지/**대소변 실금**)<br>□ 정상적 기능은 힘들고 외견상으로 보여짐 | 중증 | 15.5% | 60% |
| CDR 4 | □ 심한기억장애 마저 상실 (**하는 말 해독불가**)<br>□ 도움 없이는 이동이 불가능 | 심각 | | 80% |
| CDR 5 | □ 기억력 없음 (**자신에 대한 인식 없음**)<br>□ 식사 시 먹여주어야 하며 누워지내는 상태 (와병상태) | 말기 | | 100% |

('2022년 노인장기요양보험 통계연보, 국민건강보험공단, 2023년)

간병보험

# 목차 [질문 11~20번]

11. 요양병원과 요양원의 차이에 대해 설명해 주세요?

12. '노인장기요양보험'에 대해 쉽게 설명해 주세요?

13. '노인성질병'에 대해 자세히 설명해 주세요?

14. '치매의 종류'에 대해 자세히 설명해 주세요?

15. 노인장기요양보험 서비스이용절차에 대해 알려주세요?

16. 노인장기요양보험 서비스중 '①신청'은 어떻게 하나요?

17. 노인장기요양보험 서비스중 '②인정조사'는 어떻게 하나요?

18. 노인장기요양보험 서비스중 '③등급판정'은 어떻게 하나요?

19. 노인장기요양인정 '③등급판정(1등급~5등급)'은 어떻게 하나요?

20. 노인장기요양보험 서비스중 '④이용계획서'는 어떻게 작성 하나요?

## 질문 11: 요양병원 VS 요양원의 차이?

간병보험

| 요양병원 | 구분 | 요양원(요양시설) |
|---|---|---|
| 의료법 | 법적근거 | 노인복지법 |
| 30인이상 수용시설,<br>장기요양이 의료목적 | 개념정의 | 노인성질환자(치매,뇌졸중등),<br>편의제공(돌봄) |
| 노인성질병, 예방,<br>재활운동, 물리치료 | 서비스내용 | 세면, 배설, 목욕,<br>조리, 세탁 등 |
| 본인 및 의사의 판단자 | 대상자 | 노인장기요양<br>1~2등급자 |
| 질병, 부상의 치료 종결시 | 서비스한도 | 노인장기요양보험의<br>월 한도액 범위 내 |
| ▫ 의사 : 40인당 1명<br>▫ 간호사 : 입원 6명당 1명<br>▫ 물리치료사 : 병원당 1명,<br>100명 초과시 1명 추가<br>▫ 사회복지사 : 병원당 1명 | 서비스제공<br>인력 | ▫ 의사 : 상주 안함<br>▫ 간호사 : 25명당 1명<br>▫ 물리/작업치료사 : 100명당 1명<br>▫ 요양보호사 : 2.5명당 1명 |
| 건강보험 | 적용보험 | 노인장기요양보험 |
| 80만원 ~ 250만원 | 월비용(간병비포함) | 50만원 ~ 70만원 |

고반물질30은 다모아미디어의 고유자산으로 무단 전제·복제 및 임의 사용시 저작권법 위반으로 5년이하의 징역 혹은 5천만원 이하의 벌금형이 부과됩니다.

## 질문 12: '노인장기요양보험'에 대해 쉽게 설명해 주세요?

- **65세미만** : **노인성질환**이고 **장해점수**가 **해당**되면 인정  [※ **노인성질환** : **알**츠하이머, **파**킨슨병, **치**매, **뇌**혈관질환]
- **65세이상** : 어떠한 **상해**든 **질병**이든 **장해점수만 해당**되면 인정

## 질문 13. '노인성질병'에 대해 자세히 설명해 주세요?

| 구분 | 질병명칭 | 질병코드 |
|---|---|---|
| 한국표준질병사인분류 | 1. 알츠하이머병에서의 치매 | F00 |
| | 2. 혈관성 치매 | F01 |
| | 3. 달리 분류된 기타 질환에서의 치매 | F02 |
| | 4. 상세불명의 치매 | F03 |
| | 5. 알츠하이머병 | G30 |
| | 6. 지주막하출혈 | I60 |
| | 7. 뇌내출혈 | I61 |
| | 8. 기타 비외상성 두개내 출혈 | I62 |
| | 9. 뇌경색증 | I63 |
| | 10. 출혈 또는 경색증으로 명시되지 않은 뇌졸중 | I64 |
| | 11. 대뇌경색증을 유발하지 않은 뇌전동맥의 폐쇄 및 협착 | I65 |
| | 12. 뇌경색증을 유발하지 않은 대뇌동맥의 폐쇄 및 협착 | I66 |
| | 13. 기타 뇌혈관 질환 | I67 |
| | 14. 달리 분류된 질환에서의 뇌혈관 장애 | I68 |
| | 15. 뇌혈관 질환의 후유증 | I69 |
| | 16. 파킨슨병 | G20 |
| | 17. 이차성 파킨슨증 | G21 |
| | 18. 달리 분류된 질환에서의 파킨슨증 | G22 |
| | 19. 기저핵의 기타 퇴행성 질환 | G23 |
| | 20. 중풍후유증 | U23.4 |
| | 21. 진전(振顫) : 상세불명의 떨림 | R25.1 |

### 간병보험

□ **노인성질환은 노인만 해당 되나?**

노인성질환은 노인에게만 해당되니 젊은층에게는 필요없는 담보처럼 보이나 실재는 그렇지 않습니다.

**65세미만자라도** 왼쪽 **노인성질병 21가지**에 해당되는 질병으로 장기요양상태가 되면 **노인인장기요양보험**의 **혜택**을 받습니다.

□ **노인성질병 중 어떤 질병이 젊은층에서 자주 발병하나?**

왼쪽 약관 **6번부터 15번까지**는 **젊은층**도 발병할 수 있고 **자주 발병**하는 질병임

고반물질30은 다모아미디어의 고유자산으로 무단 전제·복제 및 임의 사용시 저작권법 위반으로 5년이하의 징역 혹은 5천만원 이하의 벌금형이 부과됩니다.

## 질문 14: '치매의 종류'에 대해 자세히 설명해 주세요?

| 구분 | | 알츠하이머치매 | 혈관성치매 |
|---|---|---|---|
| 발병율 | | 87.7% | 3.4% |
| 발병원인 | | 뇌가 쪼그라듬 (=위축) | 뇌혈관질환 |
| 진행속도 | | 서서히, 점진적 진행 | 갑자기, 급격히 진행 |
| 특징 | | 노인성 치매 | 젊은 치매 |
| 발병율(성별) | | 남 : 28% / 여 : 72% | 남 : 38.2% / 여 : 61.8% |
| 연령대별 발병율 | 50대↓ | 0.7% | 4.9% |
| | 60대 | 5.0% | 13.5% |
| | 70대 | 25.2% | 31.7% |
| | 80세↑ | 69.2% | 49.8% |
| 질병분류기호 | | F00 | F01 |

출처 : 보건의료빅데이터, 2023

**질문 15** 노인장기요양보험 '서비스이용절차'에 대해 알려주세요?

간병보험

## 서비스 이용절차

| 01 | 02 | 03 | 04 | 05 | 06 |
|---|---|---|---|---|---|
| 신청 | 인정 조사 | 등급 판정 | 이용 계획서 | 결과 통지 | 서비스 이용 |

출처 : 국민건강보험/노인장기요양보험

**질문 16**

# 노인장기요양인정 '① 신청'

###  신청대상

65세 이상의 어르신과 65세미만으로서 노인성질병을 가진 사람
※ 65세에 도달하기 30일전부터 신청가능하며, 이 경우 장기요양급여 이용은 65세에 도달하는 날부터 이용 가능

###  신청장소

우리공단 전국 지사(노인장기요양보험 운영센터)에서만 신청이 가능
※ 시·군·구 및 주민자치센터에서의 신청 서비스는 2008년 9월 1일부터 중단됨

###  신청방법

내방, 우편, 팩스, 인터넷등으로 신청가능
다만, 인터넷으로 신청하는 경우 대리인은 신청인의 가족만 , 신청인 본인과 주민등록상 같은 세대인 가족에 한함

###  신청서류

장기요양인정 신청서   ※ 64세 미만의 경우는 노인성질병 증명서류 : 진단서 또는 의사소견서

###  의사소견서

65세 이상으로 의사소견서 제출대상은 별도 통보함
65세 미만의 노인성질병을 가진 사람은 신청시 의사소견서 제출 가능

**질문 17** 노인장기요양인정 '② 인정조사'

## 인정조사 절차

공단 직원이 신청인을 직접 방문하여 거동 불편등 심신의 기능상태와 서비스가 필요한 정도를 조사

### 조사내용

'장기요양인정조사표'에 따라 신청인의 심신의 기능상태, 서비스욕구, 수발상황등

### 조사항목

12개 영역 90개항목(신체, 인지, 행동변화, 간호, 재활 총 5개영역 52개 항목이 등급 판정에 영향을 미치며 나머지 7개 영역 38개 항목은 서비스욕구 및 환경조사에 해당함)

**질문 18**

# 노인장기요양인정 '③ 등급판정'

### 등급판정

시·군·구단위로 설치된 등급판정위원회에서 인정조사 결과와 신청인이 제출한 의사소견서등을 고려하여 등급판정기준에 따라 등급을 판정함

### 등급판정위원회 개최시기

신청일로부터 30일내 등급판정이 가능하도록 월1회이상 개최

### 판정방법

위원회에서 신청인에 대한 인정조사결과와 특기사항, 의사소견서, 기타 심의자료등을 종합적으로 검토 심의, 심의기준에 따라 신청인의 심신상태 및 장기요양이 필요한 정도를 결정

### 등급판정위원회 구성

- 위원수 : 위원장을 포함(15인)
- 임  기 : 3년
- 위  원 : 의료인 (의사, 한의사, 간호사), 사회복지사, 시군구공무원, 법학또는 장기요양에 과한 학식과 경험이 풍부한 자

**질문 19**

# 노인장기요양인정 '③ 등급판정(1등급~5등급)'

**간병보험**

## 세부적 등급판정 [1등급~5등급]

| 1등급 | 2등급 | 3등급 | 4등급 | 5등급 |
|---|---|---|---|---|
| 심신의 기능상태 장애로 일상생활에서 **전적으로** 다른사람의 도움이 필요한 상태 | 심신의 기능상태 장애로 일상생활에서 **상당부분** 다른사람의 도움이 필요한 상태 | 심신의 기능상태 장애로 일상생활에서 **부분적으로** 다른사람의 도움이 필요한 상태 | 심신의 기능상태 장애로 일상생활에서 **일정부분** 다른사람의 도움이 필요한 상태 | **치매환자** (노인장기요양 보험법 시행령 제2조에 따른 노인성질병에 해당하는 치매에 한정) |

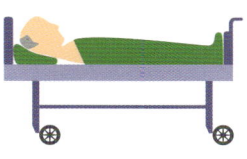    

고반물질30은 다모아미디어의 고유자산으로 무단 전제·복제 및 임의 사용시 저작권법 위반으로 5년이하의 징역 혹은 5천만원 이하의 벌금형이 부과됩니다.

**질문 20**

# 노인장기요양인정 '④ 이용계획서'

---

## 표준장기요양이용계획서

표준장기요양이용계획서는 어르신의 건강, 일상생활수행기능을 고려하여 가장 적절하게 급여를 이용할 수 있도록 작성됨

## 표준장기요양이용계획서 **작성순서**

장기요양인정조사 (인정조사 / 욕구조사) → 표준급여계획도출 → 장기요양필요영역도출 → 장기요양목표설정 → 표준장기요양이용계획서완성 → 발급

# 목차 [질문 21~30번]

간병보험

21. 노인장기요양보험 서비스중 '⑤결과통지'는 어떻게 알려 주나요?

22. 노인장기요양보험 서비스중 '⑥서비스이용(재가급여)'는?

23. 노인장기요양보험 서비스중 '⑥서비스이용(시설급여/가족요양비)'는?

24. 치매환자 관리비용이 엄청부담이라던데 연간비용이 얼마나 들까요?

25. 간병인을 쓰려고 하는데 간병비는 얼마나 들까요?

26. 간병인 사용시 보장해주는 보험이 있다면서요?

27. 남자와 여자의 간병준비는 달라야 한다면서요?

28. 노인복지제도 중 '기초연금제도'가 뭔가요?

29. 치매정책 선진사례_네덜란드[호그벡마을]

30. 해외 주요 국가들의 치매정책

# 질문 21: 노인장기요양인정 '⑤ 결과통지'

 **결과 통지**  등급판정 결과에 따라 장기요양인정을 받은 분은 장기요양인정서와 표준장기요양이용계획서를 보내줌
※ 수급자로 인정받지 못한 분에게도 별도로 통지함

 **통보방법**  우편, 방문, 내방 전달

 **통보시기**  등급판정 심의 완료 후 지체없이 통보

 **통보내용**  장기요양인정서, 표준장기요양이용계획서, 장기요양기관(시설)목록, 노인장기요양보험급여이용, 복지용구급여확인서 등

## 질문 22: 노인장기요양인정 '⑥ 서비스이용(재가급여)'

### 재가급여 [본인부담금 : 장기요양급여비용의 15%]

24년1월1일기준(매년변경)

간병보험

| 구분 | 1등급 | 2등급 | 3등급 | 4등급 | 5등급 | 인지지원등급 |
|---|---|---|---|---|---|---|
| '24년 월 한도액 | 2,069,000원 | 1,869,600원 | 1,455,800원 | 1,341,800원 | 1,151,600원 | 643,700원 |
| 월 자기부담금 | 310,485원 | 280,440원 | 218,370원 | 201,270원 | 172,740원 | 96,555원 |
| '23년 월 한도액 | 1,885,000원 | 1,690,000원 | 1,417,200원 | 1,306,200원 | 1,121,100원 | 624,600원 |
| 월 자기부담금 | 282,750원 | 253,500원 | 212,580원 | 195,930원 | 168,160원 | 93,690원 |

※ 자기부담금 : 장기요양급여비용의 15%/인지지원등급의 경우 월 한도액내에서 일8시간, 월12회 주야간보호센터 이용 가능
※ 예외 : 차상위계층,국가유공자,기초수급자 또는 소득이나 재산에 따라 4~6%이내로 감경 가능

**방문요양**: 요양보호사가 수급자의 가정등을 방문해서 목욕,배설 화장실이용,옷갈아입기,머리감기,취사,생필품 구매, 청소,주변정돈 등을 도와주는 급여

**방문목욕**: 2인이상의 요양보호사가 목욕설비를 갖춘 장비를 이용하여 수급자의 가정을 방문하여 목욕을 제공하는 급여

**방문간호**: 간호(조무)사 또는 치과위생사가 의사, 한의사 또는 치과의사의 지시에 따라 수급자의 가정등을 방문하여 간호, 진료의 보조, 요양에 관한 상담 또는 구강위생을 제공하는 급여

**주/야간보호**: 수급자를 하루 중 일정한 시간동안 장기요양기관에 보호하여 목욕,식사,기본간호,치매관리,응급서비스 등 심신기능의 유지향상을 위한 교육,훈련등을 제공하는 급여

**단기보호**: 가족의 보호를 받을 수 없는 수급자에게 일정기간 동안 단기보호시설에 보호하여 목욕,식사,기본간호, 치매관리,응급서비스 신체 활동지원과 심신기능의 유지, 향상을 위한 교육,훈련등을 제공하는 급여

**복지용구**: 수급자의 일상생활,신체활동에 필요한 용구(휠체어, 이동형 좌변기,전동침대 등)를 구입 또는 대여
※ 복지용구 연 한도액 : 연간 160만원

 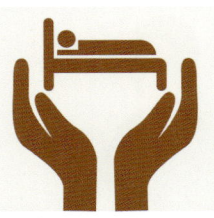

# 질문 23: 노인장기요양인정 ⑥ 서비스이용(시설급여/가족요양비)

## 시설급여 [본인부담금 : 장기요양급여비용의 20%]

24년 1월 1일 기준(매년 변경)

| 구분 | 노인요양시설(일당) | | 공동생활가정(일당) | |
|---|---|---|---|---|
| | '24년수가 | '23년수가 | '24년수가 | '23년수가 |
| 1등급 | 84,240원 | 81,750원 | 71,010원 | 68,780원 |
| 2등급 | 78,150원 | 75,840원 | 65,890원 | 63,820원 |
| 3~5등급 | 73,800원 | 71,620원 | 60,740원 | 58,830원 |

※ 자기부담금 : 장기요양급여비용의 20%   ※ 예외 : 차상위계층, 국가유공자, 기초수급자 또는 소득이나 재산에 따라 12~8%이내로 감경 가능

## 가족요양비

| 장기요양등급 | 1~5등급 / 재가급여나 시설급여는 중복보상 안되지만 **복지용구 혜택**은 **중복 수급 가능** |
|---|---|
| 가족요양비 | **233,000원 / 1개월** |

**노인요양시설**: 치매·중풍등 노인성질환 등으로 심신에 상당한 장애가 발생하여 도움을 필요로 하는 자를 입소시켜 급식·요양과 그 밖에 일상생활에 필요한 편의를 제공하는 장기요양급여

**노인요양 공동생활 가정**: 치매·중풍등 노인성질환 등으로 심신에 상당한 장애가 발생하여 도움을 필요로 하는 자에게 가정과 같은 주거여건과 급식·요양과 그 밖에 일상생활에 필요한 편의를 제공하는 장기요양급여

**가족요양비**: 도서·벽지 등 방문요양기관이 현저히 부족한 지역에 거주하거나 천재지변이나 그 밖에 이와 유사한 사유로 인하여 장기요양기관에서 장기요양급여를 이용하기 어려운 자, 신체·정신 또는 성격 등 대통령으로 정하는 사유로 인하여 가족 등으로부터 장기요양을 받아야하는 수급자에게 현금으로 지급

**질문 24: 치매환자 관리비용이 엄청부담이라던데 연간비용이 얼마나 들까요?**

간병보험

치매환자에게 소요되는
**1인당 연간 치매 관리비용**     **2,072만원**

| 직접 의료비 | 직접 비의료비 | 장기요양비용 | 간접비 |
|---|---|---|---|
| 의료비<br>본인부담 약제비 | 간병비<br>유료 간병인<br>비공식 간병비<br>- 교통비<br>- 보조용품 구입비<br>- 시간비용 등<br>  간병에 필요한비용 | | 환자의<br>생산성<br>손실비용 |
| **53.4%** | **32.4%** | **12.9%** | **1%** |

출처 : 중앙치매센터, 2021

※ 만약 **가족이 간병**에 참여하게 되면 발생될 **퇴직이나 이직**을 하게 됨으로써 **발생하는 비용은 계산되지 않음**

고반물질30은 다모아미디어의 고유자산으로 무단 전제·복제 및 임의 사용시 저작권법 위반으로 5년이하의 징역 혹은 5천만원 이하의 벌금형이 부과됩니다.

**질문 25** 간병인을 쓰려고 하는데 **간병비는 얼마나 들까요?**

## 월급보다 간병비가 많은 현실!!!

### 1:1 간병 1달비용 300~450만원

---

**코로나 이후 간병인이 대폭 줄어듬**

전국 요양병원에서 근무하는 **간병인 수**

3만9,193명(20.12월)
=> **3만4,927명 (22.3월)**

### 간병인 축소

---

**간병인↓, 간병비↑**

1:1 간병비용의 상승
**간병비 40~60% 인상**

코로나 이전 하루 7~9만원
=> 이후 하루 **10~15만원**

### 간병비 인상

---

**간병비=전액비급여**

간병비는 비급여 항목
**전액 개인의 부담**

간병비
=> **전액 비급여 항목**

### 전액 비급여

---

출처 : KB손보 영업자료 발췌, 2022

고반물질30은 다모아미디어의 고유자산으로 무단 전제·복제 및 임의 사용시 저작권법 위반으로 5년이하의 징역 혹은 5천만원 이하의 벌금형이 부과됩니다.

## 질문 26: 간병인 사용시 보장해주는 보험이 있다면서요?

**간병보험**

### ▫ 상해나 질병으로 인해서 입원하여 치료시

| 간병인 "지원" 일당 | 구분 | 간병인 "사용" 일당 |
|---|---|---|
| 간병인을 지원해주거나, 설정한 입원일당을 지급하거나 업체측 사정으로 간병인 미파견시 공시된 간병인 한도내 실제 지출된 손해액을 보상 | 지원방식 | 간병인을 직접 고용하여 간병인 사용 금액을 내 돈으로 먼저 지불하고, 그 영수증으로 보험금을 청구하면 정해진 금액을 지급받는 방식 |
| 입원 1일당 180일 한도로 24시간 1:1 전문간병인을 지원하는 방식 | 지원한도 | 사용한 날에 대해 입원 1일당 180일 한도로 설정된 금액으로 정액보상 받고 의료기관과 간병인 사용금액에 따라 차등 지급 받음 |
| O년납 O만기 / 간병인지원 또는 O만원 / 갱신종료 OO세 | 가입예시 | O년납 O만기 / 간병인사용일당(요양병원 포함 / 제외) / 간호·간병통합서비스 |
| 간병인지원 | 요양병원 | 표준체 O만원 / 유병자 O만원 |
| 미사용시 : 가입금액 / 선택 : 불가능 / 변경 : 가능 | 간병인 | 미사용시 : 보상없음 / 선택 : 가능 / 변경 : 가능 |
| 없음 | 물가상승률에 따른 간병인 추가비용 | 부족한 차액은 본인부담 |
| 있음 (갱신형) | 보험료변동 | 없음 (비갱신형) |
| 불가 | 납입면제 | 가능 (단, 납입면제형 선택시) |
| 가입 | 배상책임 가입유무 | 업체에 따라 다름 |
| 없음 | 배상책임 고객부담금 | 배상책임 유무에 따라 다름 |
| ▫ 보험사에 제휴된 간병인 지원 업체를 통해 전문적 간병인을 간편하게 사용<br>▫ 비용걱정 없이 간병인을 사용 | 장점 | ▫ 원하는 간병인을 선별해서 사용 가능<br>▫ 당장 간병인이 필요없는 연령대는 유리 |
| ▫ 간병인을 지원받지 못할 경우 입원일당을 지원받으나 일정금액이하시 가입금액 일부만 보상 | 단점 | ▫ 간병인을 직접 조달 / 전문적인 간병인 찾기 어려움<br>▫ 배상책임 사고시 미가입업체시 본인 부담 가능 |

※ 보험사마다 보험상품의 내용이 상이하므로 가입시 장단점 비교후 꼼꼼히 체크 필요!!!

## 질문 27: 남자와 여자의 간병준비는 달라야 한다면서요?

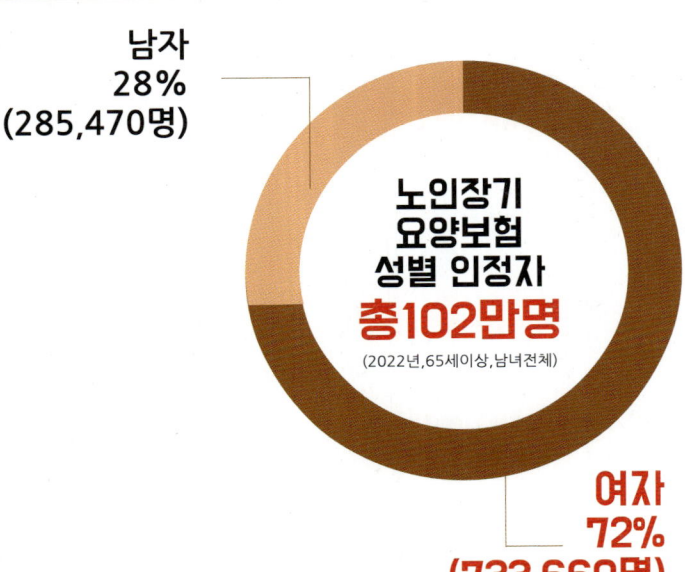

남자 28% (285,470명)
노인장기요양보험 성별 인정자
**총 102만명**
(2022년, 65세이상, 남녀전체)
여자 72% (733,660명)

### 노인장기요양보험(65세이상)_수급 현황

(단위 : 명)

| 구분 | 전체 | 치매 | 요골,좌골통 | 관절염 | 골절,탈골등 사고후유증 |
|---|---|---|---|---|---|
| 전체 | 1,019,130 | 386,229 | 162,083 | 87,413 | 71,748 |
| 남자 | 285,470 | 98,140 | 28,376 | 12,723 | 14,229 |
| 여자 | 733,660 | 288,089 | 133,707 | 74,690 | 57,519 |
| 비고 | 여자가 2.6배 | 여자가 2.9배 | 여자가 4.7배 | 여자가 5.9배 | 여자가 4.0배 |

※ 출처 : 국민건강보험공단 (2023년)

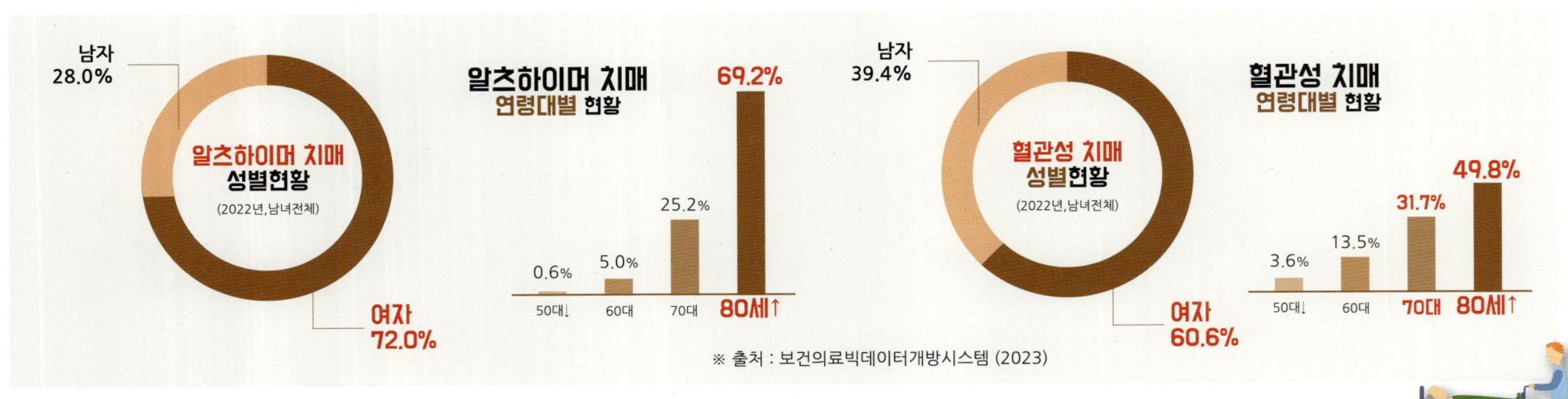

**알츠하이머 치매 성별현황** (2022년, 남녀전체)
남자 28.0% / 여자 72.0%

**알츠하이머 치매 연령대별 현황**
50대↓ 0.6% / 60대 5.0% / 70대 25.2% / 80세↑ 69.2%

**혈관성 치매 성별현황** (2022년, 남녀전체)
남자 39.4% / 여자 60.6%

**혈관성 치매 연령대별 현황**
50대↓ 3.6% / 60대 13.5% / 70대 31.7% / 80세↑ 49.8%

※ 출처 : 보건의료빅데이터개방시스템 (2023)

고반물질30은 다모아미디어의 고유자산으로 무단 전제·복제 및 임의 사용시 저작권법 위반으로 5년이하의 징역 혹은 5천만원 이하의 벌금형이 부과됩니다.

**질문 28**

# 노인복지제도 중 '기초연금제도'가 뭔가요?

**간병보험**

---

## 기초연금제도란?

**기초연금은 어려운 노후를 보내시는 어르신들을 도와드리기 위한 제도입니다!**

- 국민연금 가입 못한 분이 많고, 가입을 하셨더라도 부족한 연금 수령 보완 : 기초연금 지급
- 현재의 심각한 노인빈곤문제를 해결, 미래세대의 부담을 덜어드리고 노후에 안정된 혜택 제공

## 자격/금액/감액/신청장소  [2024년기준]

- **자격요건** : **만65세이상 어르신** / '소득인정액' : 배우자X(2,130천원), 배우자O(3,408천원)

- **지원금액**
  - **단독가구 및 부부 1인가구**(1인 연령미도래) : **최대 334,000원(최소 167,000원(감액))**
  - **부부 2인가구** : **최대 534,000원**

- **감액제도 (3가지)** : 위의 지원금액중 아래 감액조건 충족시 감액하여 지급함
  ① **국민연금 연계 감액**    ② **부부감액(20%)**    ③ **소득역전방지감액**

- **신청장소**    ① 전국 읍·면·동 행정복지센터  ② 국민연금공단 지사  ③ 보건복지부 포털사이트(복지로)

※ 내용출처 : 보건복지부 기초연금 제도안내

**질문 29**

# 치매정책 선진사례_네덜란드[호그벡마을]

## 네덜란드 작은 '치매마을' : 호그벡 마을

출처 : 중앙일보. 17년3월

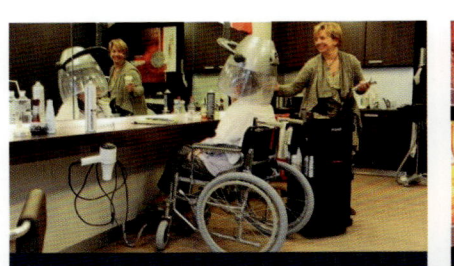

여기 아주 신기한 마을이 있습니다.
주민들이 편의 시설을 마음껏 사용해도
그 누구도 돈을 내지 않습니다.

심지어 편의점에는 가격표도 없습니다.
길에서 지갑이나 스마트폰을 잃어버려도
100% 되찾을 수 있습니다.

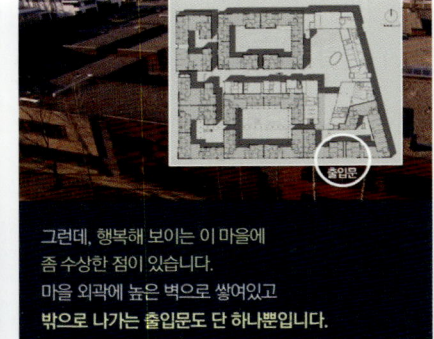

그런데, 행복해 보이는 이 마을에
좀 수상한 점이 있습니다.
마을 외곽에 높은 벽으로 쌓여있고
밖으로 나가는 출입문도 단 하나뿐입니다.

이곳은 바로 치매환자들을 위한
네덜란드의 '호그벡 마을 (hogeweyk)' 입니다.
이 마을에는 150여 명의 치매환자들과
250여 명의 의료진이 함께 살고 있습니다.

네덜란드 암스테르담 근교의 '치매마을' 호그벡은 한 치매요양병원 간호사인 아이디어에서 시작됐다. 152명의 치매환자가 살고 있는 이 마을에서 환자들은 평범한 일상을 누린다. 수퍼마켓에서 장을 보고 미용실에 가며 주말에는 교회에도 간다. 잔디밭을 산책하거나 분수 주변의 벤치에 앉아 쉬기도 한다. 보통의 마을과 다른 점은 의사·간호사 등 의료진이 마트계산원·환경미화원·우체부 복장을 하고 곳곳에 배치 돼 있다는 것이다. 환자들은 자신들이 원하는 대로 행동하면서 주변 의료진으로부터 24시간 보호를 받는다. 마을 전체(약1만5000㎡)는 높다란 담장으로 둘러싸여 있어 실종될 위험도 없다. 미국 CNN에 따르면 호그벡 마을에 사는 환자들은 일반 치매 환자들보다 약물 복용량이 적고 장수하는 것으로 나타났다.

그런데, 의료진의 모습이 좀 이상합니다.
우체부, 경비원, 마트 직원 등
다양한 모습으로 변장하고 일합니다.

의료진들이 변장한 이유는
환자들이 자신이 치매를 앓고 있다는 사실을 모른 채
평범한 사람처럼 즐기며 살 수 있게 한 겁니다.

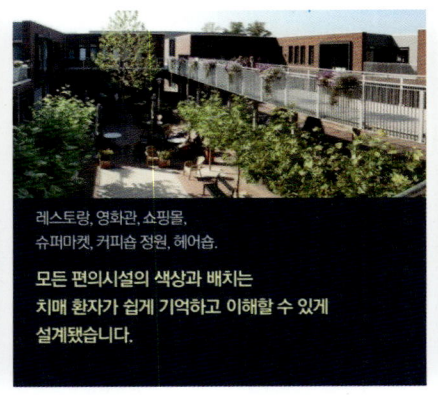

레스토랑, 영화관, 쇼핑몰,
슈퍼마켓, 커피숍 정원, 헤어숍.
모든 편의시설의 색상과 배치는
치매 환자가 쉽게 기억하고 이해할 수 있게
설계됐습니다.

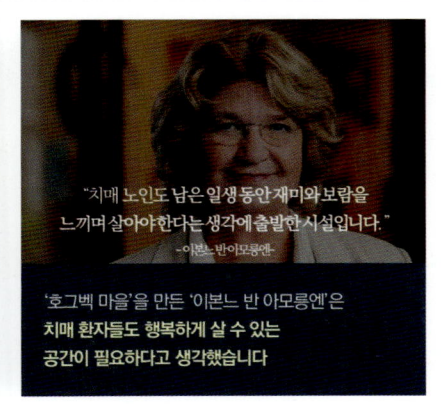

"치매 노인도 남은 일생동안 재미와 보람을
느끼며 살아야한다는 생각에 출발한 시설입니다."
-이본느 반 아모롱엔-

'호그벡 마을'을 만든 '이본느 반 아모롱엔'은
치매 환자들도 행복하게 살 수 있는
공간이 필요하다고 생각했습니다

**질문 30**

# 해외 주요 국가들의 치매정책

간병보험

- **미국**
  - 모든 치매 환자의 병원 방문·진료 기록 전산화
  - 치매의 기전 규명과 치료제 개발 위해 국가 차원 투자

- **일본**
  - 치매의료센터에 전문의 1명이상 배치
  - 치매환자 간병에 친화적인 집 개조비용(월5만~35만8천엔) 지원

- **영국**
  - 자산·소득 기준에 따라 치매환자 세금 면제
  - 환자 보호자에게 주당 약11만2천원 지급(최소 35시간 기준)

- **프랑스**
  - 요양등급에 따라 치매환자에게 현금수당 지급
  - 치매보호자에게 3개월 단위 최장 1년까지 돌봄 무급휴가 허용

- **독일**
  - 대중교통 운전기사·교직원·은행원·사업자등 직업별 치매 교육
  - 최대 12명 수용 주택·아파트형 치매 그룹홈에 보조금 지원

- **이탈리아**
  - 치매 환자들을 위한 통합 네트워크를 구축해 취약계층 집중 관리
  - 보호자에게 최장 2년까지 돌봄 유급휴가 허용

- **캐나다**
  - 치매진단 접근성이 낮은 지역에 전문의 배치
  - 65세이상 노인 또는 동거가족에게 주거 개선 비용의 15% 지원

출처 : 중앙치매센터

 **고반물질30**은 **다모아미디어**의 고유자산으로 무단 전제·복제 및 임의 사용시 저작권법 위반으로 5년이하의 징역 혹은 5천만원 이하의 벌금형이 부과됩니다.

# 고객이 반드시 물어보는 질문 30가지

**생명보험** | **사업주** 필수보험 | 고객님의 사업은 어떠한 경우라도 **영원히 계속** 되어야 합니다

# 단체보험

단체보험

고반물질30은 **다모아미디어**의 고유자산으로 무단 전제·복제 및 임의 사용시 저작권법 위반으로 5년이하의 징역 혹은 5천만원 이하의 벌금형이 부과됩니다.

# 목차

1. 단체보험이 뭔가요?
2. 중대한재해처벌법[22년1월27일 시행]이 뭔가요?
3. 단체보험을 왜? 가입하나요? [사용자입장]
4. 단체보험을 왜? 가입하나요? [근로자입장]
5. 단체보험을 왜? 가입하나요? [소송관련]
6. 단체보험을 왜? 가입하나요? [노무관련]
7. 단체보험을 왜? 가입하나요? [절세관련]
8. 단체보험을 왜? 가입하나요? [자금관련]
9. 단체보험 가입시 필요하다는 단체협약서가 뭔가요?
10. 단체협약서는 어떻게 작성 하나요?
11. 단체보험 가입절차는?
12. 산재보험에 대해 궁금한 점을 쉽게 답변해 주세요?
13. 산재로 인한 손실은 어떤 게 있나요?
14. 산재보험에서는 무엇을 보장해 주나요?
15. 산재보험에서 보상하는 급여의 종류 및 세부보상 내용은?
16. 근재보험이 뭔가요?
17. 근재보험에서 보상하는 범위 및 세부내용은?
18. 산재보험/근재보험/단체보험의 차이는?
19. 상해(=재해)의 정의?
20. 업무상 재해(상해)의 '업무'의 범위는?
21. 출퇴근의 정의가 바뀌었다면서요?
22. 출장의 정의는?
23. 과로사의 정의는?
24. 피보험자교체가 뭔가요?
25. 단체보험도 비용처리가 가능한가요?
26. 단체보험에서 보험사고시 보험금은 누가 받나요?
27. 단체보험에서 계/피/수에 따라 절세효과가 달라진다면서요?
28. 단체실손과 개인실손을 중복 가입시 어떻게 해야 하나요?
29. 산재사고 보상사례
30. 단체보험 가입시 구비서류는?

고반물질30은 **다모아미디어**의 고유자산으로 무단 전제·복제 및 임의 사용시 저작권법 위반으로 5년이하의 징역 혹은 5천만원 이하의 벌금형이 부과됩니다.

# 목차 [질문 1~10번]

1. 단체보험이 뭔가요?

2. 중대한재해처벌법[22년1월27일 시행]이 뭔가요?

3. 단체보험을 왜? 가입하나요? [사용자입장]

4. 단체보험을 왜? 가입하나요? [근로자입장]

5. 단체보험을 왜? 가입하나요? [소송관련]

6. 단체보험을 왜? 가입하나요? [노무관련]

7. 단체보험을 왜? 가입하나요? [절세관련]

8. 단체보험을 왜? 가입하나요? [자금관련]

9. 단체보험 가입시 필요하다는 단체협약서가 뭔가요?

10. 단체협약서는 어떻게 작성 하나요?

단체보험

## 질문 01 : 단체보험이 뭔가요?

### 일정한 단체에 소속되어 있는 사람 전체를 피보험자(被保險者)가 되는 보험의 총칭

단체 전원을 무진단으로 일괄해서 계약시키는 것을 원칙으로 하는 보험의 종류
- 개별적조직 : 회사 · 비영리단체 · 정부기관 등
- 공동이익단체 : 고용주단체 · 노동조합 · 전문협회 · 대학생단체 · 퇴역군인협회 등

### 통상적으로 5명이상 가입 / 개인보험보다 보험료 저렴 / 무진단 가입가능

피보험자 5명이상 가입하는게 일반적이고 개인보험 보다 보험료가 저렴하며 무진단으로 가입가능한 점이 개인보험 보다 장점

### 피보험자교체가 가능

개인보험과 달리 피보험자교체가 가능하여 보험관리나 보험료 절감차원에서 이익

### 피보험자가 퇴사시 개인보험증권으로 전환하여 보험계약을 유지할 수 있음

근로자가 여러 사유로 퇴사시 단체보험증권을 개인보험증권으로 전환하여 보험계약을 가져 갈 수 있음
[※ 단체협약서로 단체보험을 체결하는 경우]

# 질문 02 : 중대재해처벌법 [22년 1월 27일 시행] 이 뭔가요?

## 정의 및 목적

**단체보험 필요성↑↑↑↑↑↑**

'중대재해처벌 등에 관한 법률'(이하 **중대재해처벌법**) _ 2021년 1월 26일 제정돼 1년 뒤인 **2022년 1월 27일부터 단계적으로 시행!!!**
2020년 1월 16일부터 전면 개정되어 시행된 '**산업안전보건법**'보다 처벌 수위를 높인 법
기업의 안전보건 조치를 강화하고 안전투자를 늘려 **중대재해를 근원적으로 예방**하는 것을 목표

| 구 분 | 산업안전보건법 | 중대재해처벌법 |
|---|---|---|
| 의무주체 | 사업주(법인사업주+개인사업주) | 개인사업주, 경영책임자 등 |
| 보호대상 | 근로자, 수급인의 근로자, 법정 특고 | 근로자, 노무제공자, 수급인, 수급인의 근로자 및 노무 제공자<br>※ 종사자 : ①근로기준법상 근로자 ②도급, 용역, 위탁 등 계약의 형식에 관계없이 그 사업의 수행을 위해 대가를 목적으로 노무를 제공하는 자 ③사업이 여러 차례의 도급 : 각 단계의 수급인 및 수급인과 근로기준법상 근로자 또는 그 사업의 대가를 목적으로 노무를 제공하는 자와 관계가 있는 자 모두를 포함 |
| 적용범위 | 전 사업장 적용 (다만, 안전보건관리체제는 50인이상 적용) | **5인미만 사업장 적용 제외 (※ 50인미만 사업장은 3년 후 시행)** |
| 재해정의 | **중대재해** 산업재해 중<br>① 사망자 1명이상<br>② 3개월 이상 요양이 필요한 부상자 동시 2명 이상<br>③ 부상자 또는 직업성 질병자 동시 10명 이상 | **중대산업재해** 산업안전보건법상 산업재해 중<br>① 사망자 1명이상<br>② 동일한 사고로 6개월 이상 치료가 필요한 부상자 2명 이상<br>③ 동일한 유해요인으로 급성중독 등 직업성 질병자 1년 내 3명 이상 |
| 의무내용 | **사업주의 안전 조치**<br>① 프레스·공작기계 등 위험기계나 폭발성 물질등 위험물질 사용 시<br>② 굴착·발파 등 위험한 작업 시<br>③ 추락·붕괴 우려가 있는 등 위험한 장소에서 작업 시<br>**사업주의 보건 조치**<br>① 유해가스나 병원체 등 위험 물질<br>② 신체에 부담을 주는 등 위험한 직업<br>③ 환기·청결 등 적정 기준 유지 → 산업안전보건에 관한 규칙에서 구체적으로 규정(680개 조문) | **개인사업주 또는 경영책임자\* 등의 종사자에 대한 안전·보건 확보 의무**<br>① 안전·보건 관리체계의 구축 및 이행에 관한 조치<br>② 재해 재발 방지 대책의 수립 및 이행에 관한 조치<br>③ 중앙행정기관 등이 관계법령에 따라 시정 등을 명한 이행에 관한 조치<br>④ 안전·보건 관계 법령상 의무이행에 필요한 관리상의 조치→①,④의 구체적인 사항은 시행령에 위임<br>※경영책임자 : 사업을 대표하고 사업을 총괄하는 사람 또는 안전보건에 관한 업무를 담당자 또한 중앙행정기관, 지방자치단체, 지방공기업, 공공기관의 장도 해당 |
| 처벌수준 | ▫ 자연인 - 사망 : 7년이하 징역 또는 1억원이하의 벌금<br>         - 안전·보건 조치 위반 : 5년이하 징역 또는 5천만원이하 벌금<br>▫ 법 인 - 사망 : 10억원 이하 벌금<br>       - 안전·보건 조치 위반 : 5천만원이하 벌금 | ▫ 자연인 - 사망 : 1년이상 징역 또는 **10억원이하 벌금(병과 가능)**<br>         - 부상·질병 : 7년이하 징역 또는 **1억원**이하 벌금<br>▫ 법 인 - 사망 : **50억원** 이하 벌금<br>       - 부상·질병 : **10억원**이하 벌금 |

**단체보험**

고반물질30은 다모아미디어의 고유자산으로 무단 전제·복제 및 임의 사용시 저작권법 위반으로 5년이하의 징역 혹은 5천만원 이하의 벌금형이 부과됩니다.

**질문 03** # 단체보험을 왜? 가입 하나요? [사용자입장]

## 근로자들의 사기진작, 안전장치, 절세효과

근로자 **퇴직금 적립, 복지차원, 산재사고시 안전장치** 및 **절세효과**[보장보험료+비용부분] 등 다양하게 활용

## 산재사고시 민사소송을 위한 대비책으로 가입

산재사고시 사용자를 상대로 **소송** 빈번 : **산재보험금 부족분** 단체보험으로 해결

## 사업의 영속성과 안정성[제반 리스크 회피]을 위해 가입

사용자는 **사업을 영속적, 안정적**[산재사고,운영자금,종업원퇴직금,비상자금,재투자자금 등]으로 운영
하기 위해서 단체보험을 **멀티플레이어로 활용** 할 수 있음

## '계약입찰'등의 불이익을 회피하기 위해 가입

대부분 단체보험은 소규모 하청업체들의 가입율이 높은데 **하청업체 대표들**이 산재사고가 나면 산재처리를
하게 되는데 산재처리 이력이 있으면 매년 원청사로부터 '**계약입찰**[일감따기]'등에 **불이익**이 있으므로
산재처리와 관계없이 지급되는 '**단체보험**'을 **선호**함

# 질문 04 단체보험을 왜? 가입 하나요? [근로자입장]

### 충분한 보상으로 불안감 해소로 업무효율성 증대

① 근로자들의 근무의욕  ② 사기진작  ③ 산재로 인한 불안감 해소로 적극적 업무 가능케 함

### 단체보험을 가입해 준 회사에 전폭적인 신뢰를 갖고 모든 역량을 발휘 : 생산성 제고

단체보험을 노동조합이나 회사 복지차원에서 중요한 항목으로 두는 경우가 많다.
단체보험을 가입해 준 회사에 근로자 입장에서는 회사에 더 큰 신뢰를 갖고
모든 역량을 발휘 할 것

### 사망보험금/후유장해연금등은 가족의 불행도 미연에 방지 및 충격 최소화

산재사고로 근로자가 사망이나 후유장해를 당할 경우 남아 있는 가족들의 불행을 금전적으로나마
충격 최소화 할 수 있음

### 근로자가 보험금을 수령하므로 퇴직금 외에 추가목돈 마련 [※근로자를 수익자로 지정한 경우]

사용자가 근로자들의 복지차원이나 퇴직금의 자금을 위해 보험수익자를 근로자로 지정하여 가입한 경우,
근로자가 퇴직을 한 경우, 단체보험을 개인이 계속 유지하거나 해지 할 수 있고, 만기시에는 근로자 본인
에게 지급 되므로 근로자들에게는 추가목돈 마련이 가능

고반물질30은 다모아미디어의 고유자산으로 무단 전제·복제 및 임의 사용시 저작권법 위반으로 5년이하의 징역 혹은 5천만원 이하의 벌금형이 부과됩니다.

## 질문 05: 단체보험을 왜? 가입하나요? [소송관련]

 산재사고로 **민사소송** 제기시 : **유족보상금, 위자료**등 막대한 **소요자금** 필요

근로자가 **민사소송**을 할 경우 **산재보험**은 **충분한 보상이 되지 못함**

**[예시] 유족급여**의 경우
 ① **일시금 선택 시** : 평균일당 1,300일분
 ② **연금 선택 시**
  [급여기초연액 x 47%] + [급여기초연액 x 5%(부양가족 1인당)]
  ※ 급여기초연액 : 평균일당 x 365

 **피기업주 승소율 : 9.6%** [※승소 확율 희박 : 약자보호 원칙]

**사업주가 승소할 가능성**이 매우 **희박**하기 때문에 민사 손해배상 **청구소송 리스크**를 **단체보험으로 커버**해야 함

## 질문 06: 단체보험을 왜? 가입하나요? [노무관련]

###  노무관련

① 근로기준법 위반시 법률적 불이익  ② 근로자의 근로계약 관련 민사소송  ③ 근로계약서, 퇴직금, 최저임금등

| 구분 | 위반내용 | 제재내용 |
|---|---|---|
| 근로관계의 시작 | 근로계약서 체결 및 교부 위반 | 500만원이하의 벌금 |
| 근로관계 중 | 근로시간/휴게/휴일/연차휴가 부여 위반 | 2년이하 징역 또는 1천만원이하의 벌금 |
| | 연차수당 임금채권 위반 | 연차수당의 3년분 |
| | 산재발생 미신고시 | 1천만원이하 과태료 |
| 근로관계의 종료 | 퇴직금 지급 위반 | 3년이하 징역 또는 2천만원 이하 벌금 |
| | 퇴직금 미지급 [퇴직금 전액 지급 청구권] | 3년이내 퇴직금 전액 |
| | 해고관련 수당 [부당해고] | 원직복직/해고기간 임금 전액 |
| | 해고 의무 위반 | 2천만원 이하 이행 강제금 |
| | 해고관련 수당 미지급 | 2년이하 징역 또는 1천만원 이하 벌금 |

고반물질30은 다모아미디어의 고유자산으로 무단 전제·복제 및 임의 사용시 저작권법 위반으로 5년이하의 징역 혹은 5천만원 이하의 벌금형이 부과됩니다.

## 질문 07: 단체보험을 왜? 가입하나요? [절세관련]

### 절세관련

| 개인 사업연도 소득 | | | 법인 사업연도 소득 | |
|---|---|---|---|---|
| 과세표준 | 세율 | 세율<br>※지방소득세 10%포함 | 과세표준 | 세율 |
| 1,200만이하 | 6.6% | | 2억원 이하 | 11% |
| 4,600만이하 | 16.5% | | 200억원 이하 | 22% |
| 8,800만이하 | 26.4% | | 200억원 초과 | 24.2% |
| 1.5억이하 | 38.5% | | | |
| 1.5억초과 | 41.8% | | 3,000억원 초과 | 27.5% |

| 구분 | 절세내용 |
|---|---|
| 납입기간 | 5년납 5년만기 |
| 월보험료 | 월500만원 (보장보험료 50만원) |
| 비용처리 | 월 비용처리 예상금액 95만원<br>연간 비용처리 가능 예상금액 약1,140만원 |
| 절세금액 | 약 1,140만원 X 5년 X 41.8%<br>5년 약 2,382만원 절세효과 예상 |

1. 비용처리 금액은 보장보험료 100% + 적립보험료의 약10% [편의상 적립보험료 10%를 비용처리 금액으로 산정]
2. 고객의 세율적용에 따라 실제 절세금액은 달라질 수 있음

**고반물질30**은 **다모아미디어**의 고유자산으로 무단 전제·복제 및 임의 사용시 저작권법 위반으로 5년이하의 징역 혹은 5천만원 이하의 벌금형이 부과됩니다.

## 질문 08 단체보험을 왜? 가입하나요? [자금관련]

### 근로자 퇴직재원 마련
단체보험으로 근로자의 근무중 리스크 뿐만아니라 근로자 퇴직시 퇴직금으로 활용 가능

### 재투자 자금
사업상 일시적이고 긴급하게 사업에 재투자를 해야 할 경우 단체보험의 '중도인출 기능을 활용'하여 자금사용 가능

### 목적 자금
사용자가 사업운용시 발생하는 목적자금 [사용자의 개인적인 목적자금, 비상금등]으로 활용 가능

### 고용주 은퇴자금

---

만기환급금[퇴직금,목적자금,은퇴자금등]활용 또는 보험료 납입기간중 "중도인출"로 긴급자금 활용 가능

※ 중도인출 : 가입 2년 후부터 매년 4회에 한해 적립부분의 해지환급금 80% 내에서 인출가능 [보험사마다 차이가 날 수 있음]

**질문 09** 단체보험 가입시 필요하다는 **단체협약서**가 뭔가요?

---

종업원이 많아도!!! 전국 방방곡곡에 있어도!!! 자주 변경되어도!!! 단체협약서면 피보험자서명 간단히 해결!!!
단체규약에 따라 체결하는 경우에는 상법규정에 따라 피보험자가 서명을 단체협약서로 대체가능

### 적용대상

- 법인피보험자 : 피보험자 5인이상
- 개인사업자 : 피보험자 10인이상

### 날인방법

- 계약자
  - 법인 : 회사명판 + 날인 (법인인감 & 인감증명서 or 사용인감 & 사용인감계)
  - 개인사업자 : 사용자측 대표 서명
- 피보험자 : 대표 피보험자 날인 (단, 단체형 설계시 대표 피보험자를 첫번째 피보험자로 설정)

### 단체협약서 작성 필수

- 법인 또는 개인사업자의 사용자측과 근로자측 대표와 "단체보험 가입에 관한 단체협약"을 규정하고 있는 협약서로 3부를 작성하여 1부는 사용자측, 1부는 근로자측, 1부는 보험회사 보관

# 질문 10: 단체보험 가입시 필요한 **단체협약서는 어떻게 작성**하나요?

## 단체보험 가입에 관한 단체협약

_____주식회사(이하 □사용자)와 근로자 대표는 헌법과 노동관계법의 근본정신에 입각하여 근로자의 생활향상 및 회사발전을 이룩하기 위하여 상호 노력할 것을 다짐하며 이 『단체보험 가입에 관한 단체협약』을 체결한다.

### 제1조 【목 적】
이 협약은 당사의 임직원 복지제도의 목적으로 『근로자의 단체보험 가입에 관한 사항』을 규정함을 목적으로 한다.

### 제2조 【주요 내용】
1. 단체보험 체결과 관련하여 사용자측 대표 ( )명과 근로자측 대표 ( )명으로 구성된 노사협의회에서 협의하여, 20___년___월___일, _____보험(주)과 근로자(및 배우자, 자녀, 부모)를 피보험자로하는 _____보험 계약을 체결한다.
2. 보험 가입시 보험계약의 세부적인 내용은 □해당 상품의 약관에 의한다.
3. 사용자 및 근로자 대표는 개별 피보험자를 대리할 적법한 권한을 가진다.

### 제3조 【적용 범위】
1. 이 협약의 적용범위는 기존 근로자뿐 아니라, 계약 체결이후 입사한 근로자의 경우에도 동일한 보험계약에 피보험자로 추가대상으로 정한다.
2. 근로자가 퇴사하는 경우, 지체없이 서면으로 _____보험(주)에 통보하여 피보험자 교체 또는 추가 처리한다.

### 제4조 【적용 기간】
단체보험에 관한 제반 사항의 적용기간은 보험계약 체결일로부터 보험계약 만기일까지로 한다.

### 제5조 【보험료 부담】
단체보험 계약의 보험료 전액은 사용자측이 부담한다.

### 제6조 【수익자 지정과 보험금 사용】
보험계약의 수익자는 아래와 같이 별도로 정한다.
1. 사망외 수익자는 (□회사, □피보험자), 사망시 수익자는 (□회사, □피보험자의 법정상속인)으로 한다.
2. 사용자가 수익자로 지정된 경우, 피보험자의 업무상 또는 업무외 상해 및 질병으로 보험사고 발생에 따라 _____보험(주)로부터 지급되는 보험금 전액을 피보험자 또는 피보험자의 법정상속인에 대한 회사 지원 위로금 용도로 사용한다.
3. 사용자가 수익자로 지정된 경우, 사용자는 피보험자 및 법정상속인에게 보험금 청구 사실을 반드시 안내하여야 한다.

## 부 칙

### 제7조 【협약서 보관】
본 협약의 이행을 확약하기 위하여 협약서 3부를 작성하여 사용자측과 근로자측이 각각 1부씩 보관하고, 나머지 1부는 _____보험(주)에 제출한다.

20 년 월 일

| 사용자측 | | | 근로자측 | | |
|---|---|---|---|---|---|
| 직위 | 성명 | 서명 | 직위 | 성명 | 서명 |
|  |  |  |  |  |  |
|  |  |  |  |  |  |
|  |  |  |  |  |  |

| 단체명판 |  | 법인인감 (거래인감) |  |
|---|---|---|---|

단체보험

# 목차 [질문 11~20번]

11. 단체보험 가입절차는?

12. 산재보험에 대해 궁금한 점을 쉽게 답변해 주세요?

13. 산재로 인한 손실은 어떤 게 있나요?

14. 산재보험에서는 무엇을 보장해 주나요?

15. 산재보험에서 보상하는 급여의 종류 및 세부보상 내용은?

16. 근재보험이 뭔가요?

17. 근재보험에서 보상하는 범위 및 세부내용은?

18. 산재보험/근재보험/단체보험의 차이는?

19. 상해(=재해)의 정의?

20. 업무상 재해(상해)의 '업무'의 범위는?

## 질문 11 단체보험 가입절차는?

### 가입절차

사업자등록증과 단체명단 제출 (이름,주민번호,업무내용) — 고객

가입설계 및 단체일괄고지확인서 출력 — 보험회사

단체일괄고지확인서 작성 (명단 최종확인 및 상병고지) — 고객

고지확인 및 최종 청약서류 승인 — 보험회사

청약서류 서명 및 구비서류 준비 — 고객

단체보험

고반물질30은 다모아미디어의 고유자산으로 무단 전제·복제 및 임의 사용시 저작권법 위반으로 5년이하의 징역 혹은 5천만원 이하의 벌금형이 부과됩니다.

## 질문 12: 산재보험에 대해 궁금한 점을 쉽게 답변해 주세요?

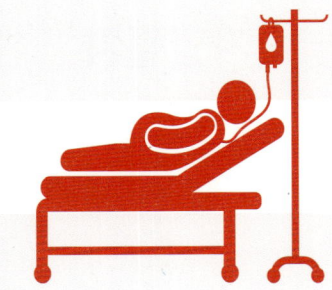

- 산재보험은 최소 몇명이상 사업장에서 가입하나요? **근로자 1명이상 고용한 사업장**
  [단, 법인이 아닌 농업, 임업(벌목업 제외), 어업, 수렵업인 경우에는 근로자 5명이상이 당연가입 대상]

- 얼마나 다쳐야 산재처리를 받을 수 있나요? **4일이상 치료가 필요하다면 산재처리 가능**

- 산재보험 가입자격은? **연령. 국적. 학생.정규직 여부 관계없이 가능**

- 사업주가 산재가입 하지 않고 사고가 난 경우는 보상이 되나요? **근로자는 보상가능. 사업주는 급여징수금 부과**

- 산재보험 의료기관이 아닌 곳에서 자비로 응급치료 받아도 보상 가능한가요? **네. '요양비청구서'를 제출하시면 보상가능**

- 산재사고로 몇일까지 출근 안해도 되나요? **근로자가 업무상재해로 요양한 휴업기간과 그 후 30일동안은 해고 못함**

- 소득이 일정하지 않은 '특수형태근로종사자'의 산재보험 보험료부과는 어떻게 되나요? **실보수가 아닌 '고용노동부 장관이 고시'하는 '기준보수'에 따라 월 보험료를 산정**

- '특수형태근로종사자'는 산재보험을 가입해야 하나요? **사업주는 의무적으로 근로자와 보험료 반반 부담으로 가입해야 함**

- '특수형태근로종사자'가 산재보험을 원하지 않으면 어떻게 하나요? **근로자 본인이 '산재보험 적용제외 신청'을 하면 됨**

- '특수형태근로종사자'가 산재보험을 다시 가입을 원하면 어떻게 하나요? **재적용신청을 하면 내년 1월1일부터 효력발생**

고반물질30은 다모아미디어의 고유자산으로 무단 전제·복제 및 임의 사용시 저작권법 위반으로 5년이하의 징역 혹은 5천만원 이하의 벌금형이 부과됩니다.

## 질문 13 : 산재로 인한 손실은 어떤 게 있나요?

**산재사고** : 업무상의 사유에 따른 근로자의 부상/질병/장해/사망사고

◇ 산재로 인정되는 4가지 조건
① 회사가 산재에 가입
② 업무상 재해
③ 4일이상 치료중
④ 치료 필요하다는 의사 소견

손실추정액 : 25조2천억원(2018년)
13년 : 19조원->18년 : 25조2천억원

재해 근로자 1인당 평균 659일의 노동 일 수 손실로 생산성에 막대한 영향

**단체보험**

**경제적 손실**

**작업능률/생산성저하**

**근로 노동일수 손해**

**대외 신뢰도 저하**

주변 동료의 사망/부상 등의 산재시 근무 의욕, 작업능률, 생산성에 영향을 주어 제품의 불량, 매출에 지대한 영향을 줌

잦은 산재는 관리감독기관의 집중적인 관리, 감독을 받아 대외신뢰도에 막대한 영향을 줌

고반물질30은 다모아미디어의 고유자산으로 무단 전제·복제 및 임의 사용시 저작권법 위반으로 5년이하의 징역 혹은 5천만원 이하의 벌금형이 부과됩니다.

**질문 14 : 산재보험에서는 무엇을 보상해 주나요?**

### 요양급여
치료비, 검사비, 수술비 등 일체의 병원비 보상

### 휴업급여
평균임금 X 70%

### 상병보상연금
요양급여 개시 후 2년이 경과하도록 치유가 안되고 폐질의 정도가 폐질 등급표상 제1급~3급의 경우 휴업급여 대신 받는 연금

### 장해급여
장해급수에 따라 장해보상 연금 또는 일시금으로 받는 연금

### 간병급여
요양 종결 후 의학적으로 상시 또는 수시로 간병이 필요한 자에게 지급

### 직업재활급여
장해급여자 중 직업훈련이 필요한 자의 직업훈련비용, 직업훈련수당, 직장복귀 지원금, 직장적응 훈련비, 재활 운동비 등을 지급

### 유족급여
평균임금 1,300일분

### 장의비
평균임금 120일분

출처 : 근로복지공단

고반물질30은 다모아미디어의 고유자산으로 무단 전제·복제 및 임의 사용시 저작권법 위반으로 5년이하의 징역 혹은 5천만원 이하의 벌금형이 부과됩니다.

# 질문 15: 산재보험에서 보상하는 급여의 종류 및 세부보상내용은?

## 요양급여 [간병급여]

부상 또는 질병에 대한 치료비를 지급

- 근로자가 업무상의 사유로에 부상을 당하거나 질병에 걸린 경우 치료비, 검사비, 수술비 등 일체의 병원비를 근로자에게 지급하는 보험급여
- 요양급여 : 요양비의 전액
- 근로복지공단이 설치한 보험시설 또는 지정 의료기관에서 요양을 받거나 부득이한 경우 요양 대신 요양비를 지급
- 간병급여 : 요양 종결 후 의학적으로 상시 또는 수시로 간병이 필요한 자에게 지급

## 휴업급여 [상병보상연금]

치료기간 일하지 못한 손해에 대한 보상

- 근로자가 휴업으로 일하지 못한 기간에 대한 급여를 보상
- 휴업급여 : 평균임금 X 70%
- 휴업급여 : 사망 또는 부상의 원인이 되는 사고가 발생한 날 또는 진단에 의하여 '질병이 확정된 날'을 기준으로 급여를 계산
- 상병보상연금 : 요양급여 개시 후 2년이 경과하도록 부상 또는 질병이 치유가 안되고 폐질의 정도가 폐질등급표상 제1급~3급의 경우 받는것으로 휴업급여 대신 받는 연금

## 장해급여 [직업재활급여]

치료 후 손상된 신체장해에 대한 보상

- 근로자가 부상이나 질병에 걸린 후 치유하였는데도 신체 등에 장해가 발생한 경우 장해등급별 지급
- 장해급여 : 급수에 따라 장해보상연금 또는 일시금으로 수령 가능
- 장해등급 : 1급부터 14급
  1급~3급 : 장해보상 연금
  8급~14급 : 장해일시보상금
- 직업재활급여 : 장해급여자 중 직업훈련이 필요한 자의 직업훈련비용, 직업훈련수당, 직장복귀 지원금, 직장적응훈련비, 재활운동비 등을 지급

## 유족급여 [장의비]

피부양 유가족에게 지급하는 생계비 보상

- 업무상재해로 근로자가 사망한 경우 유족에게 지급하는 보험급여
- 유족급여 : 평균임금 1,300일분
- 장의비 : 평균임금 120일분
- 민사상손해배상으로 받는 위자료와는 성격이 다름
- 대상은 사망한 근로자의 배우자, 자녀, 부모, 손자, 조부모, 형제자매
- 유족급여와 함께 장의비도 지급되는데 장의비는 실제로 장제를 행하는 사람에게 지급하는 것이 원칙

**단체보험**

**질문 16** # 근재보험이 뭔가요?

---

**정의** 근로자가 업무상 재해를 당하여 사업주에게 손해배상을 청구할 경우 산재보험에서 초과하는 손해액을 근재에서 보상
① 사용자배상책임 (EL : Employer's Liability)   ② 근로기준법 or 선원법상의 제보상(WC : Worker's Compensation)

**범위** : 국내근재, 선원근재, 해외근재 및 사용자배상책임위험담보

**보상내용**

① 손해배상금 : 산재보험이나 근로기준법에서 보장받은 초과금액 보상
② 소송비용 : 재해근로자 또는 그 유족이 소송 제기한 경우 비용이나 변호사보수비용등
③ 협력비용 : 피보험자가 보험자의 요청에 의거 보험자에 협력하기 위해 소요된 비용

**업체별 가입방법**

① 종합건설업체 : 연간계약 또는 공사기간만의 계약
② 단종건설업체 : 하도급계약에 의해 공사의 일부만 가입, 연가 또는 공사기간만의 계약
③ 기타제조업체 : 근로자를 대상으로 한 연간계약

**보험요율** : 사용자배상책임담보자유요율 X 보상한도액인상계수 X 과거손해율에 따른 조정계수

**필요서류** : ① 도급계약서 ② 노무비내역서 ③ 사업자등록증사본(원청회사+하청회사 모두 필요) ④ 주공사내용

---

고반물질30은 다모아미디어의 고유자산으로 무단 전제·복제 및 임의 사용시 저작권법 위반으로 5년이하의 징역 혹은 5천만원 이하의 벌금형이 부과됩니다.

# 질문 17 : 근재보험에서 보상하는 범위 및 세부내용은?

##  요건

1. **사업주가 근재보험에 가입**
   사업주가 근재보험 미가입시 : 근로자는 산재사고시 "사업주를 상대로 손해배상청구"를 해야 함 [사업주와 관계 곤란]

2. **산재 보상처리가 종결된 후 청구가능**
   재해자의 총 손해액을 평가한 뒤 근로복지공단에서 지급받은 보상금을 공제한 뒤 나머지를 근재보험에 청구가능

3. **사업주의 '안전배려의무' 위반이 있어야 함**
   사업주는 근로자가 노무를 제공하는 동안 생명,신체,건강등의 피해를 입지 않도록 하는 '안전배려의무'가 있음

**단체보험**

##  청구항목 [본인과실공제]

1. **손해배상금**
   ① **위자료** : 후유장해가 잔존할 경우 1억원의 장해율을 곱하고 난 뒤 10~20% 가감 가능 [본인과실 과실상계]
   ② **휴업손해액** : 급여액 또는 평균급여의 70% [산재에서 초과되는 부분을 청구가능]
   ③ **상실수익액** : 산재사고 없었더라면 장래에 벌었을 소득의 감소분 [산재:정률지급방식으로 충분한 보장이 어려움]
   ④ **성형비용** : 성형과 흉터제거비용 청구 가능, 흉터에 대한 추상장해도 근재보험에서 보상 가능
   ⑤ **근로복지공단에서 지급받지 못한 치료비[=자부담금]** : 산재로 인정받지 못해 자기가 부담한 치료비 [영수증 있어야 청구可]

2. **소송비용** : 재해근로자 또는 그 유족이 소송제기한 경우 비용이나 변호사보수비용등

3. **협력비용** : 피보험자가 보험자의 요청에 의거 보험자에 협력하기 위해 소요된 비용

##  보험료 : 총공사비용이 아닌 **근로자의 급여(노무비)를 기준**으로 산정 [※ 임금 : 기본급여,상여금,제수당등 1년간 지급된 급여]

**질문 18: 산재보험/근재보험/단체보험의 차이는?**

### 산재/근재/단체보험의 차이

| 구 분 | 산재보험 | 근재보험 | 단체보험 |
|---|---|---|---|
| 준거법 | 산업재해보장보험법 | WC:근로기준법,선원법 / EL:민법 | 보험법, 상법 |
| 보상기간 | 업무시간 | 보험가입기간내 업무시간 | 365일 24시간 |
| 보험금수령자 | 근로자,유가족 | 고용인[사용자] | 고용인[사용자] |
| 피보험자교체 | 불가 | 불가 | 가능 |
| 피해자 | 근로자, 고용인 | 근로자, 고용인, 선원 | 근로자, 고용인 |
| 특성 | 강제성 | 임의성(선원 및 해외근재 제외) | 임의성 |
| 주관 | 정부(노동부) | 손해보험회사 | 손해/생명보험회사 |
| 가입효과 | **최소한의 안전장치** | **산재초과분에 대한 안전장치** | **산재와 무관하게 민사소송에 대한 안전장치** |

### 산재보험과 근재보험의 차이

산재보험 : 강제보험, 근재보험 : 임의보험
산재보험 : 정부(노동부), 근재보험 : 손해보험회사

### 근재보험과 단체보험의 차이

근재보험 : 산재보험에서 초과하는 보험금 지급
단체보험 : 산재보험과 무관하게 보험금 지급

# 질문 19: 상해(=재해)의 정의?

## 상해

급격하고도 우연한 외래의 사고
[급격성, 우연성, 외래성]

## 재해

우발적인 외래사고로 **재해분류표** (S00~Y84)에 해당되어야 함
※ 자살 & 특정전염병
[콜레라, 장티푸스, 세균성이질, A형간염등]

**단체보험**

## 상해=재해의 범위

## 사망의 범위

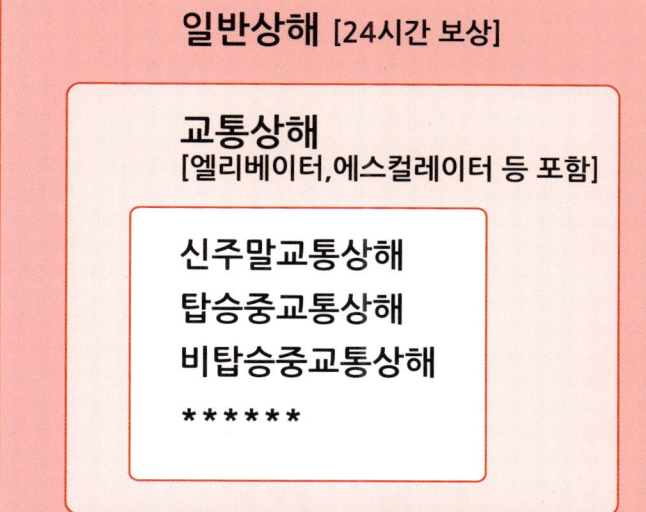

**일반상해** [24시간 보상]

**교통상해** [엘리베이터, 에스컬레이터 등 포함]

신주말교통상해
탑승중교통상해
비탑승중교통상해
******

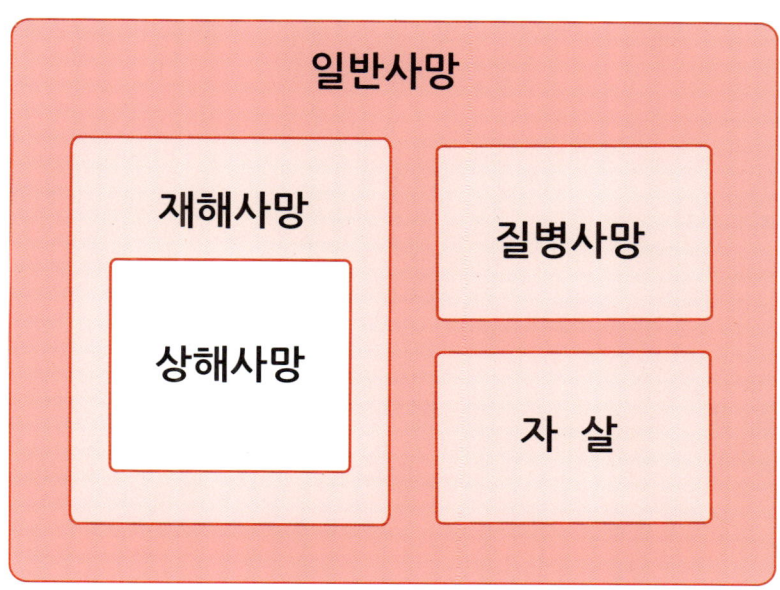

**일반사망**

재해사망 — 상해사망

질병사망

자살

**질문 20**

# 업무상 재해(상해)의 '업무'의 범위는?

---

'업무중'의 개념 : **출퇴근 + 출장 + 행사 + 과로사** [※휴게시간 : 제한적]

**출장**

사업장 외부에서 "사업주의 지시에 따라" 업무를 수행하거나, 특정장소로 이동한 전 과정
-> 출장도중 정상경로를 벗어남, 사적행위, 사업주의 구체적 지시를 위반한 사고는 업무상재해가 아님

**행사**

- 사용자가 주최·관리 지배성 : 야유회, 체육대회, 회식 등 "사업주가 참여를 독려"하고 "회사가 경비를 부담" 하는 등의 행사
- 참가목적의 강제성 : 행사모임의 주최자, 목적, 내용, 참가인원과 강제성 있는 행사는 보상
  -> 동호회나 2차회식 등은 업무상재해로 보기 어려움

**과로사**

① 업무상 과로가 있었는가?, 그 과로로 업무중 발병했는가?
② 업무중 발병하지 않았더라도 과로와 질병 또는 사망사이에 의학적으로 상당한 인과관계가 있는가?
  결론 : ①+② 조건이 동시 충족 되어야 함
  ※ 노동부 고시 업무상 과로의 기준 : 재해발생 1주일과 3개월을 기준으로 단기적 과로와 만성적 과로로 구분하고, 근로자의 사망직전 1주간의 근무시간 또는 업무량이 평상시보다 30%이상 증가하면 "단기적 과로"가 있다고 판단, 아니면 재해발생 직전 3개월간의 근무시간 및 업무량이 평상시보다 급격하게 증가한 "만성적 과로"에 한해 업무상 과로로 인정

**휴게시간**

근로자에게 부여한 개인적 자유시간이므로 업무상 재해로 인정하기 어려움

  ※ 단, 근로의 연장선상에 있는 시간으로 근로자의 개인적 자유시간으로 인정되지 않는 경우라면 예외 가능

---

고반물질30은 다모아미디어의 고유자산으로 무단 전제·복제 및 임의 사용시 저작권법 위반으로 5년이하의 징역 혹은 5천만원 이하의 벌금형이 부과됩니다.

# 목차 [질문 21~30번]

21. 출퇴근의 정의가 바뀌었다면서요?

22. 출장의 정의는?

23. 과로사의 정의는?

24. 피보험자교체가 뭔가요?

25. 단체보험도 비용처리가 가능한가요?

26. 단체보험에서 보험사고시 보험금은 누가 받나요?

27. 단체보험에서 계/피/수에 따라 절세효과가 달라진다면서요?

28. 단체실손과 개인실손을 중복 가입시 어떻게 해야 하나요?

29. 산재사고 보상사례

30. 단체보험 가입시 구비서류는?

단체보험

## 질문 21 : 출퇴근의 정의가 바뀌었다면서요?

### 과거
통근버스등 사업주가 제공하는 교통수단을 이용하는 경우에 한해 보상

→

### 현재 [2018.01.01~]
사업주가 제공하는 교통수단인지 여부없이
**모든 출퇴근 사고 보상**

### 출퇴근의 범위

**[출퇴근 재해]**
'통상적인 경로와 방법'으로 출퇴근하는 이동 경로상에서 발생한 재해를 말함

**[통상적인 경로와 방법]**
대중교통·자가용·도보·자전거 등 교통수단을 이용하여 누구나 인정되는 통상적인 경로로 출퇴근을 하는 것
(※ 공사, 시위, 집회 및 카풀을 위해 우회하는 경로도 포함)

**[경로의 일탈·중단]**
통상적인 출퇴근 경로를 일탈 또는 중단하던 중 발생한 사고는 원칙적으로 업무상 재해로 보지 않지만, 일탈·중단의 사유가 일상생활에 필요한 행위인 경우에는 예외적으로 업무상의 재해로 인정

**[일상생활에 필요한 행위]**
일상생활용품 구입, 직무관련 교육·훈련 수강, 선거권 행사, 아동 또는 장애인의 등·하교 또는 위탁, 진료, 가족간병 등

**[적용제외]** 개인택시기사, 퀵서비스기사 등과 같이 출퇴근의 경로와 방법이 일정하지 않은 직종 중 본인의 주거지에 차고지를 두고 있어 주거지 출발부터 업무가 개시되는 경우 사실상 출퇴근재해의 혜택은 받기 어렵고 보험료만 부담할 우려가 있으므로 **출퇴근재해에 한해 적용 제외**하여 일반 산재보험료만 부담

# 질문 22: 출장의 정의는?

### 🔧 출장의 정의

사용자의 포괄적 또는 개별적인 명령으로 특정의 용무를 위하여 통상의 근무지를 떠나서 용무지에 갔다가 용무를 마치고 돌아오는 일련의 과정

### 🔧 출장에 포함되지 않는 경우

외근업무, 퇴근도중의 간단한 용무 등 적극적인 사용(私用)·사적행위

※ 다만, 출장중인 때에는 그 용무의 성질이나 수행방법 등에 관해서 포괄적으로 사업주에 대하여 책임을 지고 있는 만큼 특별한 사정이 없는 한 출장 과정의 전반에 걸쳐 사업주의 지배하에 있고, 과정전반에 걸쳐 업무수행성이 있다고 봄

### 🔧 산재에 인정된 출장관련 판례들

① 급성전염병 유행지에 출장 갔다가 병에 걸린 경우
② 출장도중 화물차에 편승한 근로자가 굴러 떨어진 사고
③ 동남아시아의 출장지에서 풍토병에 걸린 경우
④ 종업원이 공무를 마치고 오토바이로 직접 회사로 돌아오던 중의 사고
⑤ 자택으로부터 직접 출장지에 가기 위하여 역으로 가던 도중의 사고
⑥ 호텔 객실에서 잠을 자다가 화장실을 가다 술에 취한 관계로 호텔 객실의 바닥에 머리를 부딪쳐 생긴 사고 등

단체보험

---

ⓜ 고반물질30은 다모아미디어의 고유자산으로 무단 전제·복제 및 임의 사용시 저작권법 위반으로 5년이하의 징역 혹은 5천만원 이하의 벌금형이 부과됩니다.

**질문 23** 과로사의 정의는?

---

###  과로사의 규정 : 아래의 ① + ② 조건이 동시 충족되어야 함

① 업무상 과로가 있었는가? 그 과로로 업무중 발병했는가?
② 업무중 발병하지 않았더라도 과로와 질병 또는 사망사이에 의학적으로 상당한 인과관계가 있는가?

###  과로사의 정의 : 일과 관련된 과로사, 돌연사, 원인미상 사망, 급사 등을 통틀어 '과로사' 라 함

① 과중한 노동이 요인이 되어 고혈압과 동맥경화를 악화
② 뇌출혈, 지주막하 출혈, 뇌경색 등의 뇌혈관질환
③ 심근경색 등의 허혈성질환
④ 급성심장마비 등을 유발해 영구적인 노동불능이나 사망에 이른 상태
⑤ 노동중 근로자의 정상적인 노동리듬이나 생활리듬이 붕괴 되어 그 결과 생체내에서 피로축적이 진행, 과로 상태로 기존의 고혈압이나 동맥경화가 악화 되고, 파탄을 겪게 되는 치명적인 상태
⑥ 격무, 과로, 스트레스 등으로 건강 악화 또는 기존 질병이 심각한 상태로 진행되어 사망 또는 장애가 발생

###  과로사의 원인 : ① 뇌혈관계질환 ② 심장질환 ③ 간질환 의 악화로 인한 것이 대부분

노동강도의 강화, 장시간 노동, 정신적 긴장과 스트레스, 경쟁적 사회구조, 기존 질환 들이 모두 과로사의 원인

**질문 24**

# 피보험자교체가 뭔가요?

**피보험자 교체** : 단체보험에서 사용하는 제도로 A직원이 퇴사하고 B직원이 입사시 피보험자 교체를 할 수 있는 제도로 **보험료 절감, 보험해약 방지, 업무의 편의성**이 목적

### 피보험자 교체 전 사고 : 보험사 면책

[사고사례] 중소업체인 P사, 소속직원 10명을 피보험자로 하는 단체상해보험 계약 체결, 보험가입후 직원 B씨가 퇴사후 직원 A씨를 새로 채용후 A씨가 작업도중 오른손이 절단되는 사고 발생

---

P사는 보험회사에 보험금을 청구했으나 보험회사는 A씨가 피보험자가 아니라며 보험금 지급을 거절, 직원이 바뀌기는 했으나 애초 직원 10명을 대상으로 단체보험을 가입한 것이므로 인원수에 변동이 없으니 보험금을 지급해야 된다며 분쟁조정신청을 제기

---

### 처리결과 : 면책 [보험사 보험금지급 거절]

---

**단체 상해보험의 경우** 보험가입후 **피보험자가 바뀌거나 인원의 증감**이 있을 경우, **보험계약자** 또는 **피보험자**는 지체없이 보험회사에 알리고 보험증권에 확인을 받도록 **약관**에 정해져 있음

단체보험의 피보험자 변경은 매우 중요한 사항으로서 상기 P사의 사례에서 보는 것처럼 피보험자 변경절차를 이행하지 않으면 보험금을 받지 못하는 경우가 발생할 수 있음

**단체보험**

## 질문 25: **단체보험**도 **비용처리**가 가능한가요?

 '2가지의 경우' 가 있습니다.

 만기환급금이 없는 경우 : 소멸성 단체보험

- **소멸성 단체보험료 : 전액 손비처리**
  [전액 급여등으로 처리하여 필요경비로 산입]

 만기환급금이 있는 경우 : 적금성 단체보험 [보장+적립보험료]

- **보장부분 : 전액 손비 처리**
  [전액 '급여 등'으로 처리하여 필요경비로 산입]

- **적립부분 : 일정부분**(적립보험료의 10%정도)**은 '손비' + '자산'으로 처리**
  [회계과목상 '자산'으로 처리]

고반물질30은 다모아미디어의 고유자산으로 무단 전제·복제 및 임의 사용시 저작권법 위반으로 5년이하의 징역 혹은 5천만원 이하의 벌금형이 부과됩니다.

## 질문 26 : 단체보험에서 보험사고시 보험금은 누가 받나요?
[계약자, 수익자 : 회사, 피보험자 : 근로자]

### 피보험자[근로자]가 '사망/후유장해/부상사고'가 난 경우 : 보험금수익자 [회사]

- 업무상 재해사고 : '회사[사용자]'가 보험금 수령·보유 가능 [대법원판결 2012다5289]
- 업무외 재해사고 : '회사[사용자]'가 수령후 근로자의 유가족에게 지급 [대법원판결 2007다70285]

### 퇴직후에 피보험자[근로자]가 사망하면 단체보험금이 지급되나?

- 직원이 퇴직등 직원의 자격을 상실 후 보험사고 경우 : 보험금 미지급 [대법원 2007다42877]

### 직원퇴직 후에도 보험료를 회사가 계속 납입한 경우는 보상해줘야 하지 않나요?

- 직원이 퇴직 후에도 보험료를 계속 납입한 경우 : 보험금 미지급 [대법원 2007다42877 판결]

---

금융감독원은 지난 2016년, 직원이 사망한 경우 사망보험금이 유가족 모르게 지급되지 않도록 보험금 지급 사유가 발생한 경우 유가족 통지절차를 의무화 하였고, 기업대표(보험 계약자)가 직원의 사망보험금을 청구하려는 경우, 유가족의 확인서를 구비하도록 의무화함. 이 과정에서 유가족은 회사가 얼마의 보험금을 수령할 것이라는 사실을 알게 되고 적절한 협상을 통해 유족들이 보험금을 (회사로부터 넘겨받는 식으로) 수령할 수 있게 됨

단체보험

**질문 27: 단체보험에서 계/피/수에 따라 절세효과가 달라진다면서요?**

### 계약자/수익자 : 사용자[법인], 피보험자 : 근로자

| 구분 | 세무처리 내용 (법인/사용자) | 세무처리 내용 (근로자) |
|---|---|---|
| 개인사업자 | 보장보험료 + 적립보험료 중 사업비 비용처리<br>(매년 비용처리 후 만기시 소득세 부담 無) | 세금없음 |
| 법인 | 보장보험료 + 적립보험료 중 사업비 비용처리<br>(매년 비용처리 후 만기시 소득세 부담 無 or 有) | 세금없음 |

### 계약자 : 사용자[법인], 피보험자/수익자 : 근로자

| 구분 | 세무처리 내용 (법인/사용자) | 세무처리 내용 (근로자) |
|---|---|---|
| 개인사업자<br>법인 | 보험료 전액 비용처리 가능<br>- 연 70만원 이하 : 복리후생비<br>- 연 70만원 초과 : 급여 | 연 70만원 초과시 근로소득세 과세<br>- 연 70만원 이하 : 과세제외<br>- 연 70만원 초과 : 근로소득 처리 |

고반물질30은 다모아미디어의 고유자산으로 무단 전제·복제 및 임의 사용시 저작권법 위반으로 5년이하의 징역 혹은 5천만원 이하의 벌금형이 부과됩니다.

## 질문 28: 단체실손과 개인실손을 중복 가입시 어떻게 해야 하나요?

### 단체실손보험, 퇴직하면 개인실손보험으로 전환

**전환대상**: 직전 5년간(연속) 단체실손보험 가입자
**전환상품**: 단체실손보험과 동일 또는 유사한 일반실손보험
**전환신청**: 단체실손보험 종료 후 1개월내 신청

재직중 [단체실손] → 퇴직후 [개인실손]

직전 5년간 보험금 200만원 이하 수령하고
10대 중대질병(5년) 발병 이력이 없는 경우 무심사 전환

단체보험

### 입사후 중복 가입자 : 개인실손보험 중지 신청

입사 전 [개인실손] — 개인실손보험 중지 신청 → 재직 중 [단체실손] — 개인실손보험 재개 신청 (퇴직후 1개월 이내) → 퇴직 후 [개인실손]

- 1년이상 개인실손보험을 유지한 경우 중지 가능
- 개인실손보험 납입·보장 중지
- 단체실손보험 보장이 중복되는 부분만 중지

기존상품 대비 보장이 확대되는 경우를 제외하고 무심사

고반물질30은 다모아미디어의 고유자산으로 무단 전제·복제 및 임의 사용시 저작권법 위반으로 5년이하의 징역 혹은 5천만원 이하의 벌금형이 부과됩니다.

## 질문 29 — 산재사고 보상사례

### 민사 손해배상 청구소송 제기시 추가 배상금액 _ 사례

기준예시 : 남자 30세, 월200만원 (월급여 150만원, 상여금 400%), 정년 60세, 본인과실 30%, 사망시

**1. 민사상 손해배상금액**
- ① 일실수익
  : 204,969,427원
- ② 일실퇴직금
  : 24,000,000원
- ③ 위자료
  : 65,600,000원

합계 : 312,569,427원

**−**

**2. 산재보험 보상금액**
- ① 유족일시금
  : 86,666,667원
- ② 장의비
  : 9,539,140원

합계 : 96,205,807원

**=**

**3. 사용자 추가 부담 금액**
- ① 민사상 손해배상금액
  : 312,569,427원
- ② 산재보험 보상금액
  : 96,205,807원
- ③ 부족액 = (①-②) 차액
  : 201,636,000원

부족 : 201,636,000원
[단체보험으로 해결]

> **민사소송시** 산재보험으로 모자라는 **부족분 약2억원** 은 **단체보험으로** 깔끔하게 **해결**

※ 기업주의 과실(안전배려의무위반)로 인한 업무상 재해인 경우 민사상 손해배상책임을 면하기 위해서는 추가비용이 발생 가능
※ 본 배상금액은 단순예시로, 실제 배상금액과 일부 차이가 날 수 있음

고반물질30은 다모아미디어의 고유자산으로 무단 전제·복제 및 임의 사용시 저작권법 위반으로 5년이하의 징역 혹은 5천만원 이하의 벌금형이 부과됩니다.

## 질문 30. 단체보험 **가입시 구비서류**는?

### 구비서류

| 구분 | 법인사업자 | 개인사업자 피보험자 10명이상 | 단체협약서로 체결하는 경우 |
|---|---|---|---|
| 청약서 | ● | ● | ● |
| 인감증명서 | ● | | |
| 단체협약서 | ● | ● | |
| 통장사본 | ● | ● | ● |
| 사업자등록증 | ● | | ▲ |
| 피보험자 신분증 | ● | | ▲ 수익자가 법정상속인이 아닌 경우 필수 첨부 |
| 기타서류 | □ 계약자를 사업자번호 (법인고객 등록 대상)로 가입하는 경우<br>　▷ 법인 : 법인등기부등본<br>　▷ 개인사업자 : 사업자등록증<br>　▷ 비영리법인단체 : 고유번호증<br><br>□ 계약자가 개인 & 보험료 25만원이상 : 계약자 신분증 정보(발급일,발급장소,발급자) 필수 | | |

※ 상기 구비서류는 삼성생명 기준 자료이며 타 회사는 구비서류가 다를 수 있음

**단체보험**

# 고객이 반드시 물어보는 질문 30가지

**생명보험**    CEO의 **고민해결사** | 대표님의 안정적인 사업운영자금과 퇴직 이후에 안정적인 노후자금 등을 완벽하게 준비해 드립니다.

## CEO플랜

**고반물질30**은 **다모아미디어**의 고유자산으로 무단 전제·복제 및 임의 사용시 저작권법 위반으로 5년이하의 징역 혹은 5천만원 이하의 벌금형이 부과됩니다.

# 목차

1. CEO플랜이 뭐에요?
2. 앞만보고 달려오신 사장님 고생 많으셨습니다.
3. 힘들게 일구신 사장님의 재산을 지킬 수 있을까요?
4. 우리나라 법인세는 얼마나 되나요?
5. 대한민국 중소기업 CEO의 현실과 고민?
6. 사장님의 회사기여도와 현재가치를 생각해 보셨나요?
7. CEO플랜의 장점이 뭔가요?
8. CEO플랜에 적합한 기업은?
9. CEO플랜의 절차는 어떻게 되나요?
10. CEO플랜 효과를 극대화 시켜주는 보험상품은?
11. 법인사업자 현 실태?
12. 법인자금의 특징은?
13. 법인 검토사항은?
14. 법인세를 절감하는 방법이 시기에 따라 다양한 방법으로 변화하고 있다면서요?
15. 개인기업과 법인기업의 차이에 대해 자세히 설명해 주세요?
16. 정관변경이 무엇이고, 왜? 필요한가요?
17. 회사정관 변경 시 필요한 서류는?
18. 퇴직금 지급조건 및 분쟁시 처리방법은?
19. 임원보수/임원퇴직금 지급규정 [예시]
20. 퇴직소득세 계산방법 [4단계중 1~2단계]
21. 퇴직소득세 계산방법 [4단계중 3~4단계]
22. 퇴직금의 분류과세?
23. 퇴직금 얼마나 지급할 수 있나?
24. CEO플랜의 금전적이익은 얼마나 되나요?
25. 임원퇴직금은 과세관청에서 결정하나?
26. 퇴직연금의 이해?
27. 퇴직연금의 종류는?
28. 퇴직연금과 CEO플랜 비교?
29. 경영인정기보험은 손비(비용)처리 가능한가요?
30. 경영인정기보험 회계처리는 어떻게 하나요?

# 목차 [질문 1~10번]

1. CEO플랜이 뭐에요?
2. 앞만보고 달려오신 사장님 고생 많으셨습니다.
3. 힘들게 일구신 사장님의 재산을 지킬 수 있을까요?
4. 우리나라 법인세는 얼마나 되나요?
5. 대한민국 중소기업 CEO의 현실과 고민?
6. 사장님의 회사기여도와 현재가치를 생각해 보셨나요?
7. CEO플랜의 장점이 뭔가요?
8. CEO플랜에 적합한 기업은?
9. CEO플랜의 절차는 어떻게 되나요?
10. CEO플랜 효과를 극대화 시켜주는 보험상품은?

**질문 01 · CEO플랜이 뭐에요?**

**개요** CEO의 사업 운영상 리스크를 사전에 대비하여 **안정적인 사업 운영자금**과 **퇴직이후의 목돈마련**과 **윤택한 노후생활**을 위한 **금전적·세무적 장점이 많은 새로운 금융플랜**

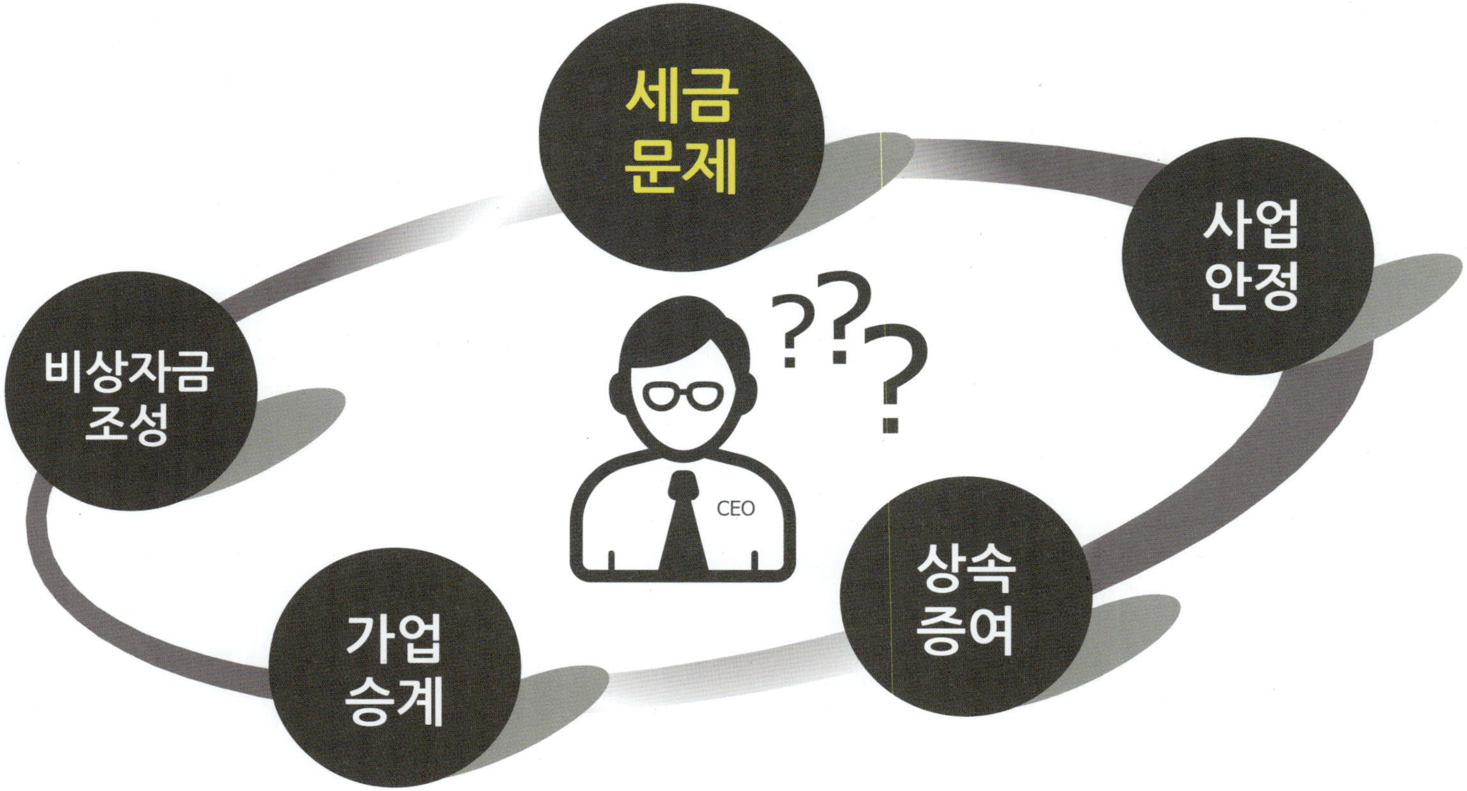

- 세금문제
- 사업안정
- 상속증여
- 가업승계
- 비상자금조성

## 질문 02 앞만보고 달려오신 사장님 고생 많으셨습니다.

회사를 처음 만들어 사업자번호를 받았을 때 자식을 낳아 출생신고를 한 느낌이었습니다.

자식을 위해서 뭐든 했던 것처럼 회사가 커 나가는 것을 위해서 밤낮을 가리지 않고 뛰었습니다.

열이 내리지 않는 자식의 머리 맡에 밤새 앉아 잠자리에 들지 못하는 부모의 마음처럼 회사가 어려울 때 노심초사했던 기억이 새롭습니다.

어느새 회사는 살아 움직이는 생명체가 되어 나의 분신과도 같은 가족이 되고…

세월의 흔적에 낡아가는 공장기계와 함께 나의 머리에도 이제 백발이 내려앉기 시작 합니다.

이제 더 이상 핑계로 미루지말고 평생 고생한 사장님 자신에게 뭔가를 보상할 때가 되었습 니다.

 **질문 03** # 힘들게 일구신 사장님의 재산을 지킬 수 있을까요?

-  세금 내고 문 닫아야 하나?
-  회사 계속 키워야 할지?
-  '다이브로크' … 쓰고 죽자?
-  현금화해서 차라리 해외로?
-  명의신탁등 편법이라도?

고반물질30은 다모아미디어의 고유자산으로 무단 전제·복제 및 임의 사용시 저작권법 위반으로 5년이하의 징역 혹은 5천만원 이하의 벌금형이 부과됩니다.

## 질문 04 | 우리나라 법인세는 얼마나 되나요?

### 법인세 | 2024년 개편안

**2023년 | 법인세율**

| 구분 | 과세표준 | 세율 | 누진공제 |
|---|---|---|---|
| 영리·비영리 법인 | 2억원 이하 | 9% | - |
| | 2억원 초과 200억원 이하 | 19% | 2,000만원 |
| | 200억원 초과 3,000억원 이하 | 21% | 42,000만원 |
| | 3,000억원 초과 | 24% | 942,000만원 |
| 조합법인 (조특법 §72적용) | 20억원 이하 | 9% | - |
| | 20억원 초과 | 12% | 6,000만원 |

<적용시기> '2024년부터 법인세율 최종 확정안

**2024년 | 법인세율**

| 구분 | 과세표준 | 세율 | 누진공제 |
|---|---|---|---|
| 영리·비영리 법인 | 2억원 이하 | 9% | - |
| | 2억원 초과 200억원 이하 | 19% | 2,000만원 |
| | 200억원 초과 3,000억원 이하 | 21% | 42,000만원 |
| | 3,000억원 초과 | 24% | 942,000만원 |
| 조합법인 (조특법 §72적용) | 20억원 이하 | 9% | - |
| | 20억원 초과 | 12% | 6,000만원 |

<적용시기> '2023.1.1 이후 개시하는 사업연도 분부터 적용

## 질문 05 : 대한민국 중소기업 CEO의 현실과 고민?

- 법인세 신고한 법인 : 총65만개
- 이익신고 법인 : 43만개(전체의 66%)
  → 자산규모 20억↓ : 31만개(72%)

**세무 강화** : TIS(국세통합시스템)의 발달과 법인세 인상으로 버는것 보다 지출하는 세금비용이 증가

**자산 관리** : 회사를 키우느라 지출된 개인 돈을 당당하게 관리할 CEO자산관리 시스템이 無

**상속 증여** : 효율적인 상속과 증여에 대한 준비를 하지 않을 경우 막대한 자금경색 우려 상존

**건강 관리** : 회사를 위해 평생을 바치느라 개인건강을 돌 볼 겨를이 없음 CEO신변에 문제가 생길 경우 심각한 타격이 예상

**가업 승계** : 회사를 탄탄한 상태에서 자질있는 후계자에게 물려주고 싶으나 가업 승계에 대한 육성프로그램 부족과 자질에 대한 고민

**전문가 양성** : 회사를 성장시키는데 주력하다 보니 세무회계 또는 원할한 자산관리를 담당할 실무직원이 부족

고반물질30은 다모아미디어의 고유자산으로 무단 전제·복제 및 임의 사용시 저작권법 위반으로 5년이하의 징역 혹은 5천만원 이하의 벌금형이 부과됩니다.

## 질문 06 : 사장님의 회사기여도와 현재가치를 생각해 보셨나요?

### 포브스선정_세계의 부호 [2024.1월 기준]

| 순위 | 이름 | 회사명 (국가) | 재산규모 | 매일 1억씩 사용 |
|---|---|---|---|---|
| 1위 | 베르나르아르노 앤 패밀리 | 루이뷔통모에헤네시 (프랑스) | 299조원 | 8,192년 |
| 2위 | 얼론머스크 | 테슬라, 스페이스X (미국) | 253조원 | 6,932년 |
| 3위 | 제프 베조스 | 아마존 (미국) | 165조원 | 4,521년 |
| 4위 | 래리엘리슨 | 오라클 (미국) | 155조원 | 4,247년 |
| 5위 | 빌게이츠 | MS (미국) | 145조원 | 3,973년 |
| 244위 | 삼성 이재용 | | 10.6조원 | 291년 |
| 343위 | 미국 트럼프 | | 4.6조원 | 126년 |

고반물질30은 다모아미디어의 고유자산으로 무단 전제·복제 및 임의 사용시 저작권법 위반으로 5년이하의 징역 혹은 5천만원 이하의 벌금형이 부과됩니다.

## 질문 07 : CEO플랜의 장점이 뭔가요?

### 절세효과 : 근로/배당소득세 [44%] --> 퇴직소득세 [15.9%] : 약3배 절세
※ 10년근속자가 퇴직금 4억원 수령 가정 (300만*120회(10년))

### CEO 유고(사망,사고 등)시 : 상속세 재원 및 유족 보상금 등
- 대출금상환압박/대출연장 추가담보 요구/외상대금/매입채무/상속세 납부 재원 등

### 상속과 증여를 위한 절세가능
- 기업의 장기적인 가치조정으로 절세
- 부외자산으로 증여세 절세효과와 법인의 비상자금 마련

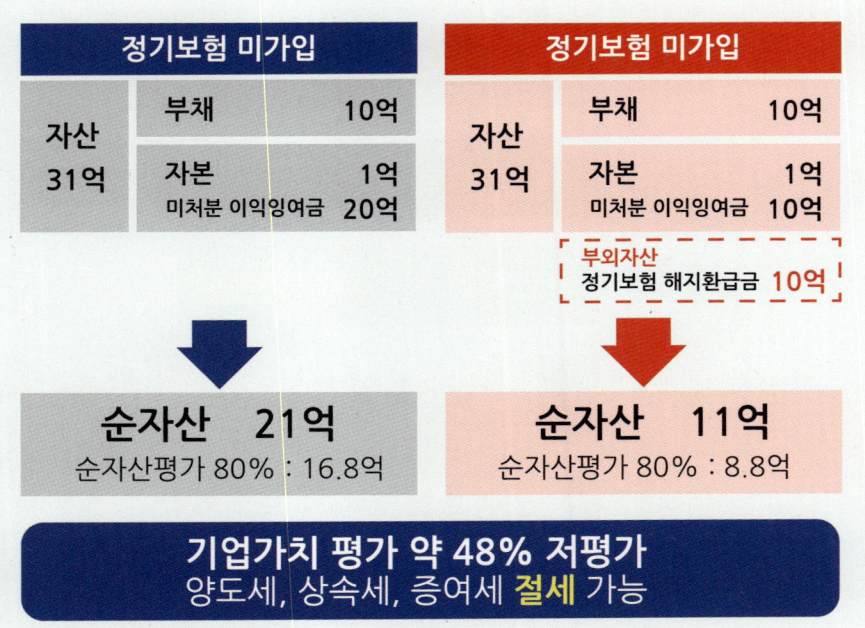

| 정기보험 미가입 | | 정기보험 미가입 | |
|---|---|---|---|
| 자산 31억 | 부채 10억 | 자산 31억 | 부채 10억 |
| | 자본 1억<br>미처분 이익잉여금 20억 | | 자본 1억<br>미처분 이익잉여금 10억 |

부외자산
정기보험 해지환급금 10억

순자산 21억
순자산평가 80% : 16.8억

순자산 11억
순자산평가 80% : 8.8억

**기업가치 평가 약 48% 저평가**
양도세, 상속세, 증여세 절세 가능

**질문 08**

# CEO플랜에 적합한 기업은?

- 소수 오너쉽(가족,친인척 등)으로 구성된 **중소기업**

- **현금성 자산**이 있는 **비상장기업**

- 사고대비,노후,비상자금준비 등 **보험가입**이 필요하고 **여력이 되는 기업**

- **흑자**로 연봉인상,퇴직금을 비용처리 가능한 **중소기업**

- **가족에게 사업을 승계**할 계획을 가진 **중소기업**

- 대기업공장 근처의 지역에서 사업하는 **대기업 협력업체** 또는 **하청업체**

**질문 09 : CEO플랜의 절차는 어떻게 되나요?**

## 종결 — 퇴직시점
- 계약자·수익자변경 : 보험증서 승계 & 상속·증여
- 계 약 자 : CEO
- 피 보험자 : CEO
- 수 익 자 : CEO

## 실행 — 보험가입
- 법인에 적합한 보험가입

## 준비 — 정관변경
- 임원퇴직금 규정 : 제정·개정(상향)

## 도입 — CEO플랜 필요성 인식
① CEO 현황파악 : 주주/영업·재무/가족/재산·부채
② CEO 사망시 : 비상장주식평가/개인재산/상속세 계산
③ 보험가입 필요성 강조 : 보험플랜(CEO플랜)

- 계 약 자 : 법인
- 피 보험자 : CEO
- 수 익 자 : 법인

### 정관변경 절차

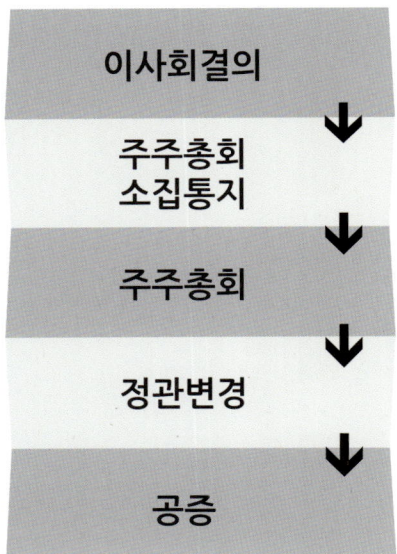

이사회결의 → 주주총회 소집통지 → 주주총회 → 정관변경 → 공증

※ 실무 : 변호사·법무사 대행 可

**질문 10** CEO플랜 효과를 **극대화** 시켜주는 **보험상품**은?

##  효과  CEO플랜 효과 극대화 **보험상품**

| 목적자금 | 위험·상속자금 | 비용처리 |
|---|---|---|
| **변액상품** | **종신보험** | **경영인 정기보험** |
| 중도인출(비상자금) | 종신보험(퇴직전) | 종신형연금전환(퇴직후) |
| 물가상승률 커버(투자수익) | 종신형연금전환(퇴직후) | 사망보장(퇴직전) |
| 은퇴,회사비상자금 | 간병·노후자금 (퇴직후) | **보험료전액 손비처리** |
| 경험생명표(가입시점) | 유가족생활비 (유고시) | "경영인정기보험의 납입보험료가 전액 손비처리가 가능하다."는 대법원 판결 |
|  | 상속재원 (유고시) | [서울고등법원(2심) 대법원 판결 _2018년8월30일] |

**변액상품 + 종신보험 + 정기보험 = "혼합가능"**

# 목차 [질문 11~20번]

11. 법인사업자 현 실태?
12. 법인자금의 특징은?
13. 법인 검토사항은?
14. 법인세를 절감하는 방법이 시기에 따라 다양한 방법으로 변화하고 있다면서요?
15. 개인기업과 법인기업의 차이에 대해 자세히 설명해 주세요?
16. 정관변경이 무엇이고, 왜? 필요한가요?
17. 회사정관 변경 시 필요한 서류는?
18. 퇴직금 지급조건 및 분쟁시 처리방법은?
19. 임원보수/임원퇴직금 지급규정 [예시]
20. 퇴직소득세 계산방법 [4단계중 1~2단계]

**질문 11** 법인사업자 현 실태?

 **법인사업자**의 현재 처한 **문제점**?

| 법적규정 | 절세 | 법인이익 | 세금 |
|---|---|---|---|
| 임원퇴직금 규정 | 퇴직충당금을 활용한 절세 | 법인이익 처리 방법 | 법인세금 인상 준비 |
| --> 부족하거나 없음 | --> 2016년이후 손금처리 불가 | --> 법인이익 증가에 따른 처리 방법 준비 | --> 정치적,제도적 계속 증가추세 [법인세 인상 가능] |

CEO플랜

고반물질30은 다모아미디어의 고유자산으로 무단 전제·복제 및 임의 사용시 저작권법 위반으로 5년이하의 징역 혹은 5천만원 이하의 벌금형이 부과됩니다.

## 질문 12: 법인자금의 특징은?

 **법인자금**이 **개인**에게 **갈 수 있는 경우 : 4가지**

| 배당금 | 급여/상여 | 퇴직금 | 가지급금 |
|---|---|---|---|
| 배당소득세 [인정배당] | 근로소득세 | 퇴직소득세 | 가지급금(대여금) [회사로부터 빌린 돈] |
| → 분리과세(15.4%) 또는 2천만원 이상시 종합소득세 (6.6%~46.2%) | → 종합소득세 (6.6%~46.2%) | → 퇴직소득세 (분류과세, 연분연승법) | → 세제상 불이익 추후 상환해야 하는 자금 |

고반물질30은 다모아미디어의 고유자산으로 무단 전제·복제 및 임의 사용시 저작권법 위반으로 5년이하의 징역 혹은 5천만원 이하의 벌금형이 부과됩니다.

 **질문 13** # 법인검토 사항은?

## 법인사업자의 현재 처한 문제점?

| 순익여부 | 법인의 순익이 증가추세에 있는가? |
| 법인세 | 법인세 감면을 위한 방법은 있는가? |
| CEO배려 | CEO에 대한 배려[혜택]은 무엇인가? |
| 절세방안 | 실질적인 CEO 절세방안은 무엇인가? |

## 질문 14: 법인세를 절감하는 방법이 시기에 따라 다양한 방법으로 변화하고 있다면서요?

**2005년도~**
퇴직플랜, 정관변경, 비용처리 등

**2010년도~**
연구소, 벤쳐등록, 자금대출 등

**2015년도~**
주식평가, 노무관리, 배당정책, 자사주 등

**현재~**
경정청구, 특허권, 영업권, 법인전환 등

이 복잡한 걸 어떻게 하죠?

고반물질30은 다모아미디어의 고유자산으로 무단 전제·복제 및 임의 사용시 저작권법 위반으로 5년이하의 징역 혹은 5천만원 이하의 벌금형이 부과됩니다.

**질문 15: 개인기업과 법인기업의 차이에 대해 자세히 설명해 주세요?**

| 구분 | | 개인기업 | 법인기업 |
|---|---|---|---|
| 법률적 차이 | 설립절차 | 사업자등록 | 주식이 발생되며 설립등기 필요 |
| | 이윤배분 | 발생과 동시에 기업주 소유 | 배당절차를 통해 주주에게 귀속 |
| | 책임범위 | 무한책임 | 대표이사는 회사운영 관련 책임<br>주주는 주금납입한도로 책임 (단, 50%초과 보유한 과점주주는 제2차 납세의무[※회사가 미납한 세금을 과점주주가 대신 납부]가 있음) |
| 세무상 차이 | 납부세금 | 소득세 중 사업소득세 | 법인세 |
| | 세율 | 6~42% | 9~24% |
| | 사업주 보수 | 경비처리 안됨 | 경비처리 됨 |
| | 사업주 퇴직금 | 지급할 수 없음 | 지급할 수 있음 |
| | 잉여금 | 자유롭게 사용 | 주주에게 배당금 지급 후 사용 |
| | 이중과세 | 사업소득세만 납부 | 법인세와 배당소득세 이중 과세 |
| | 건강보험료 | 지역가입자로 납부 | 직장가입자로 납부 |
| 관리상 차이 | 장부작성 | 자체 작성 가능 | 세무사에 기장 위탁 |
| | 부가가치세 신고 | 반기별 연2회 | 분기별 연4회 |
| | 소득에 대한 신고 | 홈택스를 통한 자체 신고 가능 | 세무사에 위탁해 신고 |

출처 : 보험과 세금

## 질문 16: 정관변경이 무엇이고, 왜? 필요한가요?

 **법인정관**이란? 법인의 **설립 목적, 조직, 업무 내용**에 대한 **규정을 기록한 문서**

### 절대적 기재사항
정관에 '반드시' 기재되어 있어야 영향력과 구속력이 발생
- 사업의 목적 : 별도로 인허가를 받아야 하는 상황 / 미래사업에 대한 사항도 고려 후 기재
- 상호 : 동일 관할 구역 내 같은 상호가 없는지 확인
- 발행 주식 : 회사가 발행할 주식 한도, 법인 설립시 발행하는 전체 주식의 수, 1주 금액 등
- 본점 소재지 : 특별시, 광역시, 시, 군까지 작성
- 설립 주주들의 성명 및 주민번호, 주소 등

### 상대적 기재사항
정관에 기재되어 있어야 영향력과 구속력이 발생
- 변태설립사항  □ 주식에 관한 사항  □ 주주총회에 관한 사항  □ 이사, 집행임원, 이사회 및 감사에 관한 사항
- 배당, 사채발행등에 관한 사항  □ 회사의 존립기간, 기타의 해산사유  □ 명의개서 대리인 선임
- 유상, 무상증자 및 주식배당시 발행하는 배당기산일등

### 임의적 기재사항
CEO플랜 진행시는 반드시 필요한 '임원보수 규정', '임원퇴직금 규정'은 반드시 있어야 함
- **임원보수 규정**  □ **임원퇴직금 규정**  □ 지점의 설치 전환  □ 주권의 종류  □ 신주의 배당기산일
- 주식의 명의개서 절차  □ 주주주식의 명의개서 절차  □ 주주등의 주소, 성명 및 인감 또는 서명등의 신고
- 주주총회 관련  □ 주주의 의결권과 관련  □ 이사 및 감사관련등  □ 자기주식 취득  □ 유족보상 규정 등

**CEO플랜 진행을 위해서는**
- 정관이 있는 경우 : '임원보수규정', '임원퇴직금규정' 확인
- 정관이 없는 경우 : 반드시 '정관 작성(임원보수/퇴직금 규정 산입)' 후 진행

# 질문 17: 회사정관 변경 시 필요한 서류는?

##  정관변경 필요서류

- 법인정관변경 허가신청서 1부
- 변경사유서 1부
- 정관개정안(신·구조문 대비표 포함) 1부
- 정관변경에 관한 총회 또는 이사회의 의사록(이사의 서명날인 또는 인감날인) 1부
- 정관변경에 의하여 사업계획 및 수입과 지출예산에 변동이 있는 경우, 변동된 사업계획서 및 수입과 지출예산서
- 기본재산 처분에 따른 정관변경의 경우 : 처분의 사유, 처분재산목록, 처분의 방법등을 기재한 서류 1부

##  사단법인과 재단법인의 정관변경의 차이점

- 사단법인 변경요건
  - 사원의 의사결정에 따라서 자율적으로 운영, 정관의 변경이 원칙적으로 허용
  - 정관에 특별한 규정이 없는 한 총사원 2/3이상의 동의가 필요함
- 재단법인 변경요건
  - 재단법인은 목적과 조직이 설립시 확정되어 있는 타율적인 법인으로써 정관변경을 못하는 것이 원칙
  - 정관에 정한 때에 한하여 할 수 있고, 재산보전을 위한 사무소 소재지나 명칭을 변경할 수 있음

**질문 18**

# 퇴직금 지급조건 및 분쟁시 처리방법은?

 ## 퇴직금 지급조건 및 분쟁시 처리방법

| 퇴직금? | 1주 15시간 이상 근무하는 근로자가 1년 이상 계속 근로제공 후 퇴사하는 경우 지급 |

| 평균임금 | 근무연수가 1년 이상이면 퇴직할 때 퇴직연수에 3개월의 평균임금을 지급함 |

| 5인이하 | 종업원이 4인 이하인 사업장도 2010년 12월 1일부터는 법적으로 퇴직연금 지급 |

| 퇴직연금 | 퇴직금은 원칙적으로 중간정산이 안되므로 대부분 퇴직연금 제도를 이용하는 추세 |

| 계속근로 | 사용자의 허락 하에 휴직한 기간 역시 '계속근로기간'에 포함 |

| 분쟁시 | 고용노동부 홈페이지(www.moel.go.kr)에 인터넷민원이나 노동부에 신청하면 됨 |

# 질문 19: 임원보수/임원퇴직금 지급규정 [예시]

##  임원퇴직금 지급규정

**제1조 [목적]** : 이 규정은 주식회사 OOO(이하 "회사"라고 한다)를 퇴임한 임원에 대하여 지급할 퇴직금에 관한 제반사항을 정함으로써 퇴임임원과 회사와의 지속적인 유대강화를 도모함을 그 목적으로 한다.

**제2조 [적용범위]**
1. 본 규정의 적용대상은 회사의 경영에 실질적으로 참여하는 자로서 아래의 자를 말한다.
2. 본 규정은 대표이사, 이사, 감사에 대하여 적용한다.
3. 본 규정상의 임원이라 함은 주주총회에서 선임된 등기임원을 말한다.
4. 임원에 준하는 대우를 받더라도 별도의 계약에 의하여 근무하는 자는 그 별도의 계약에 의한다.

**제3조 [지급사유]**

임원에 대한 퇴직금은 다음 각호에 해당하는 사유가 발생하였을 때 지급한다.
① 임기만료 퇴임 ② 사임 ③ 재임 중 사망 ④ 무주택자의 주택구입 ⑤ 3개월이상의 질병치료 또는 요양 시 ⑥ 천재지변 등

**제4조 [임원의 퇴직금 산정 및 지급]**
1. 임원의 퇴직금 산정기준은 다음과 같이 한다.
 **퇴직한날로부터 소급하여 3년(근속기간이 3년미만의 경우는 해당 근무기간으로 한다.)동안 지급받은 총 급여액의 연평균 환산액 x 1/10 x 근속년수 x 지급배수**
2. 임원퇴직금 지급은 연간 보수한도와는 별도로 집행한다.
3. 임원이 연임되었을 경우에는 퇴직으로 보지 아니하고 연임기간을 합산하여 현실적으로 퇴직하였을 때에 퇴직금을 지급한다.
4. 임원 본인의 귀책사유로 인해 주주총회에서 해임결의 되거나 또는 법원의 해임판결을 받아 퇴임하는 경우에는 지급배수를 1로 하여 퇴직금을 지급한다.
5. 퇴임 당월의 급여는 근무일수에 상관없이 해당월 급여 전액을 지급한다.
6. 임원퇴직금의 지급배수는 다음과 같다.

**대표이사 : 2배수, 이사, 감사 : 2배수**

**제5조 [퇴직금지급의 특례]**

업무상 부상 또는 질병으로 퇴직하거나 순직으로 퇴직한 자에 대하여는 전조에 불구하고 다음 각호에 해당하는 지급률로 퇴직금을 가산 지급할 수 있다.
① 업무상 부상 또는 질병으로 퇴직한 자 : 지급율 기준율의 100분의 30
② 순직으로 퇴직한자 : 지급기준율의 100%

**제6조 [특별공로금]**
1. 재임 중 특별한 공로가 있는 임원에 대하여는 특별공로금을 포함한 퇴직금의 지급을 주주총회에서 결정할 수 있다.
2. 임원퇴직금에 관하여 따로 그 지급액을 결정하는 경우에는 이 규정을 적용하지 아니한다.

**제7조 [퇴직금의 지급방법]**

퇴직금은 현금으로 지급함을 원칙으로 하되 현금 이외의 자산(재고자산,금융자산,유가증권,고정자산등)으로 지급할 수 있다.

##  임원보수 지급규정

**제1조 [목적]** : 이 규정은 상법 제388조 및 회사 정관에 명시한 임원(이사,감사)에 대하여 지급할 보수지급에 관한 제반 사항을 정함을 목적으로 한다.

**제2조 [적용대상]**
1. 본 규정의 적용대상은 회사의 경영에 실질적으로 참여하는 자로서 아래의 자를 말한다.
2. 본 규정은 대표이사, 이사, 감사에 대하여 적용한다.
3. 본 규정상의 임원이라 함은 주주총회에서 선임된 등기임원을 말한다.
4. 임원에 준하는 대우를 받더라도 별도의 계약에 의하여 근무하는 자는 그 별도의 계약에 의한다.

**제3조 [지급대상임원]**

본 규정에 의한 보수액이 확정되는 시점에 근무하는 임원에 한하여 지급한다.

**제4조 [보수의 대상기간 및 구성]**
1. 본 회사의 임원의 보수는 매년 1월1일부터 12월31일까지를 그 대상기간으로 하며, 정기급여와 정기상여 및 특별상여를 포함하는 상여금으로 구성된다.
2. 임원퇴직금은 별도의 임원퇴직금 지급규정에 의한다.

**제5조 [보수한도]**

**대표이사,이사 : 연10억원 / 감사 : 연5억원**

**제6조 [정기급여]**

정기급여는 기본급과 성과급으로 구성되며, 제5조의 임원 보수한도 내에서 지급할 수 있다.

상기 임원퇴직금과 임원보수 지급규정은 세부적인 정관양식이 있으나 중요부분만 요약한 내용임
※ "표준 정관내용" 필요하신 분은 별도 연락요망

**질문 20**

# 퇴직소득세 계산방법 [4단계중 1~2단계]

과세표준 (전체 근속기간) → 연분된 과세표준 (1년 치) → 환산 과세표준 → 연승된 산출세액 (총 산출세액)

| 사 례 | 퇴직금 4억원 / 근속기간 2024.3.1~2033.2.28(10년근무) |
|---|---|

## [1단계] 퇴직소득 과세표준

| 항목 | 계산 | 내용 |
|---|---|---|
| 퇴직급여 | 400,000,000 | 수령한 퇴직금 |
| (-)근속연수 공제 | (-) 15,000,000 | 근속연수 공제표에 따라 공제 |
| (-)퇴직소득 공제 | - | |
| **퇴직소득 과세표준** | **385,000,000** | 퇴직금의 40%공제 (종전) |

※ 근속연수 공제표

| 근속연수 | 공제액 |
|---|---|
| 5년이하 | 100만원 X 근속연수 |
| 5년초과 ~10년이하 | 500만원 + 200만원 X (근속연수-5년) |
| 10년초과 ~20년이하 | 1,500만원 + 250만원 X (근속연수-10년) |
| 20년초과 ~ | 4,000만원 + 300만원 X (근속연수-20년) |

400,000,000-(500만원+200만원x(10년-5년))

## [2단계] 연분된 과세표준

| 항목 | 계산 | 연분된 과세표준 |
|---|---|---|
| 산식 | 385,000,000/10년 | 38,500,000 |

고반물질30은 다모아미디어의 고유자산으로 무단 전제·복제 및 임의 사용시 저작권법 위반으로 5년이하의 징역 혹은 5천만원 이하의 벌금형이 부과됩니다.

# 목차 [질문 21~30번]

21. 퇴직소득세 계산방법 [4단계중 3~4단계]
22. 퇴직금의 분류과세?
23. 퇴직금 얼마나 지급할 수 있나?
24. CEO플랜의 금전적이익은 얼마나 되나요?
25. 임원퇴직금은 과세관청에서 결정하나?
26. 퇴직연금의 이해?
27. 퇴직연금의 종류는?
28. 퇴직연금과 CEO플랜 비교?
29. 경영인정기보험 : 손비(비용)처리 가능한가요?
30. 경영인정기보험 회계처리는 어떻게 하나요?

# 질문 21: 퇴직소득세 계산방법 [4단계중 3~4단계]

## [3단계] 환산 과세표준

| 항목 | | 계산 |
|---|---|---|
| 산식 | 연분된 과세대상 | 38,500,000 |
| | 배수적용 | X 12 |
| | 환산급여 | 462,000,000 |
| | 차등공제 | [-] 208,400,000 |
| | 환산 과세표준액 | 253,600,000 |

### ※ 환산급여 차등공제표

| 환산급여 | 차등공제 |
|---|---|
| 800만원 이하 | 100% |
| 7,000만원 이하 | 800만원 + 800만원 초과분의 60% |
| 1억원 이하 | 4,520만원 + 7,000만원 초과분의 55% |
| 3억원 이하 | 6,170만원 + 1억원 초과분의 45% |
| 3억원 초과 | 1억5,170만원 + 3억원 초과분의 35% |

(151,700,000+(162,000,000X35%))

## [4단계] 연승된 총 산출세액

| 항목 | 연간 산출세액 | |
|---|---|---|
| 산식 | (253,600,000X38%-19,940,000)/12 = 6,369,000 | |
| 산출세액 | 6,369,000 | |
| 총 산출액 | 6,369,000X10년 = | 63,690,000 |
| 세금부담율 | 63,690,000원÷4억원 = | 15.9% |
| 결론 | 근로소득,배당소득 등은 4억원 초과수령시 **소득세는 44.0%**이나 **퇴직소득세는 15.9%**로 **타 소득세보다 약1/3수준임** | |

### ※ 종합소득세 기본세율 및 누진공제

| 소득과세표준 | 소득세율 | 누진공제액 |
|---|---|---|
| 1,400만원 이하 | 6% | - |
| 5,000만원 이하 | 15% | 126만원 |
| 8,800만원 이하 | 24% | 576만원 |
| 1.5억원 이하 | 35% | 1,544만원 |
| 3억원 이하 | 38% | 1,994만원 |
| 5억원 이하 | 40% | 2,594만원 |
| 10억원 이하 | 42% | 3,594만원 |
| 10억원 초과 | 45% | 6,594만원 |

**질문 22** 퇴직금의 분류과세?

## 퇴직금_분류과세 적용

- 퇴직금은 급여, 배당과 다르게 다른 소득과 합산되진 않음 [국민건강보험 합산에서 제외]
- **퇴직금**은 단일항목으로 **'분류과세'**, 종합과세 되는 다른 소득이 있는 경우 상대적으로 유리
  ※ 분리과세 : 소득을 지급할 때 원천징수를 하고 지급하는 것으로 납세의무를 종결짓는 것 [종소세 신고의무 無]

## 과세의 분류

| 구분 | 종합과세 | 분리과세 | 분류과세 |
|---|---|---|---|
| 의의 | 원칙적으로 종합과세 | 조세정책적 목적과 납세편의등을 위해 **원천징수로 납세의무를 종결** | 수년에 걸쳐 형성되는 소득으로 **결집효과 완화** |
| 대상 소득 | □ **이자,배당**소득 [합산 2천만원 초과]<br>□ **사업·근로**소득 [무조건 종합과세]<br>□ **연금**소득<br>  * 공적연금소득 [무조건 종합과세]<br>  * 사적연금소득 [1천5백만원 초과]<br>□ **기타**소득 [3백만원 초과] | 일용근로자 급여<br><br>분리과세대상 **금융**소득<br>분리과세대상 **연금**소득<br>분리과세대상 **기타**소득 | **퇴직소득**<br>**양도소득** |

**질문 23** 퇴직금 얼마나 지급할 수 있나?

##  임원퇴직금_요건 [세법]

① 주주총회 의결  ② 모든 임원에게 공평 적용  ③ 세법에서 인정하는 직급별·근속년수에 따른 퇴직금 범위  ④ 사회통념상 적정한 퇴직금

##  임원퇴직금_지급규정 | 2020년1월1일 _ 전 & 후 적용방법 상이

##  임원퇴직금_계산 공식 | 2020년1월1일 이후 : 3배수 -> 2배수

(2019년 직전 3년간 총 급여 연평균 환산액)X10%X((2012년~2019년까지 근속기간)/12X3)+
(퇴직 직전3년간 총 급여 연평균 환산액)X10%X(2020년 이후 근속기간/12X2)

## 질문 24: CEO플랜의 금전적이익은 얼마나 되나요?

### 납입보험료 100% 비용 처리

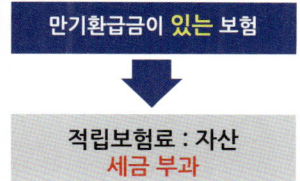

| 과세표준 | 2024년 법인세율 | 월보험료 300만원 | 절세금액 | 절세효과 | 연수익율 |
|---|---|---|---|---|---|
| 2억~200억 미만 | 20.9% | 매년 3,600만원 비용처리 | 매년 약 752.4만원 절세 | 월보험료 약 2.5개월분 | 20.9% |

### 가입예시 : 56세가입, OO라이프 경영인정기보험, 보험만기 95세, 월보험료 3,022,600, 체증형(20%), 사망보험금 2.54억원

단위:천원,%

| 납입기간 | 연령 | 납입보험료 | 사망보험금 (A) | 해지환급금 (B) | 환급율 (%) | 법인세절세(C) (20.9%가정) | 해지+법인세절세(B+C) | | 유고시(사망시)(A+C) | |
|---|---|---|---|---|---|---|---|---|---|---|
| | | | | | | | 환급액 | 환급율 | 보험금+절세 | 수익율 |
| 5년 | 61세 | 181,356 | 254,000 | 153,104 | 84.4% | 37,620 | 190,724 | 105.2% | 291,620 | 160.8% |
| 7년 | 63세 | 253,898 | 254,000 | 238,883 | 94.0% | 52,668 | 291,551 | 114.8% | 306,668 | 120.8% |
| 10년 | 66세 | 362,712 | 254,000 | 355,118 | 97.9% | 75,240 | 430,358 | 118.7% | 437,952 | 120.8% |

※ 상기 예시표는 참고자료로만 활용 : 24년3월, OO라이프 가입설계서와 청약서를 필요한 부분만 요약한 내용입니다.

## 질문 25: 임원퇴직금은 과세관청에서 결정하나?

### 절대 아니다 : 과세관청은 "세금만 결정"

**임원퇴직금**의 결정은 절대적으로 **법인의 고유권한**이다.

## 얼마를 지급하든 상관없다.

단, 아래의 **요건에 부합**해야 한다.

① 주주총회결의  ② 모든임원에게 공평 적용  ③ 세법에서 인정하는 직급별·근무년수에 따른 퇴직금 범위
④ 사회통념상 적정한 퇴직금

### 임원퇴직금 손금산입(비용) 인정 여부는?

(임원)퇴직금 ≠ (임원)퇴직소득세 ≠ 법인 손금산입

① 정관기재 : 정관에 퇴직급여가 정해진 경우 ▷ 그 급여는 모두 인정
② 이외 (정관에 기재 X) : 최근 1년간 지급한 총급여액의 1/10
③ 정관위임 : 정관에서 위임된 퇴직급여 지급규정이 있는 경우 ▷ 모두 인정

**질문 26** 퇴직연금의 이해?

 **퇴직연금과 퇴직금은 운용방법과 세제 혜택에 있어 차이**

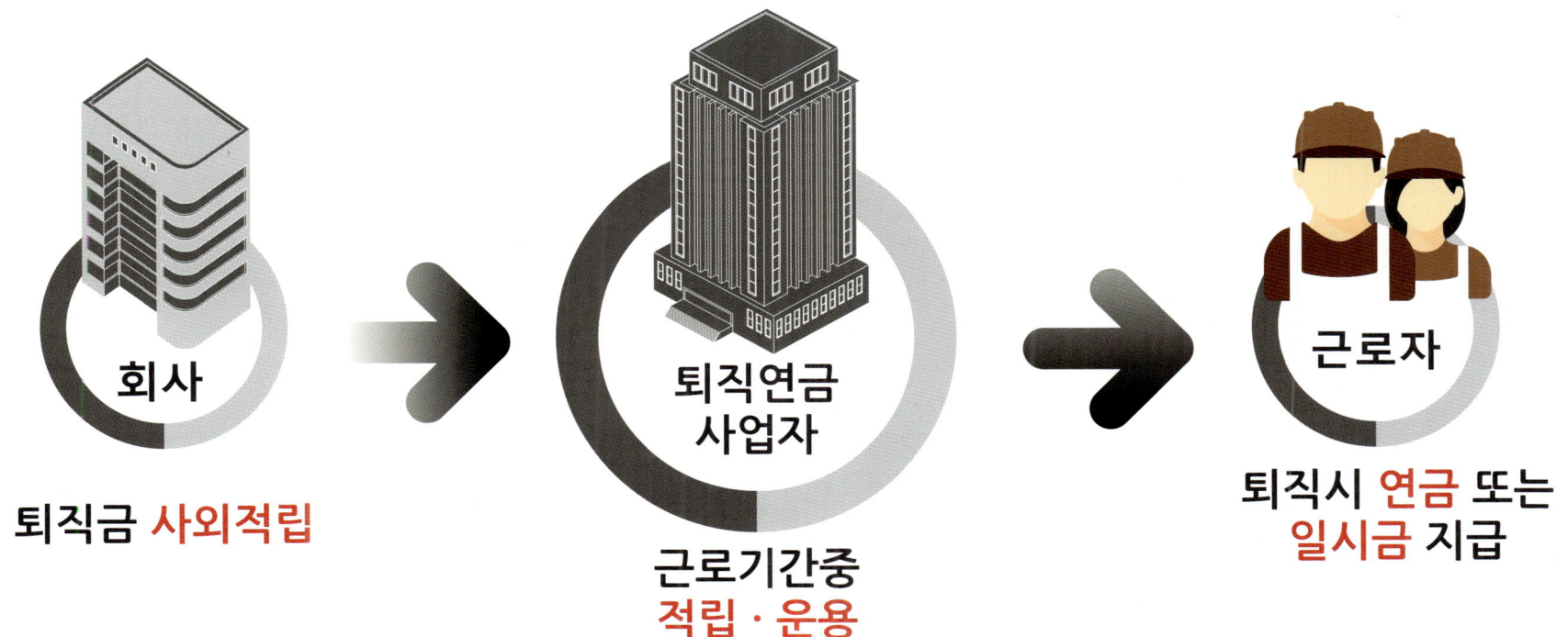

**회사** — 퇴직금 **사외적립**

**퇴직연금 사업자** — 근로기간중 **적립·운용**

**근로자** — 퇴직시 **연금 또는 일시금 지급**

**퇴직연금**은 퇴직금을 외부의 안전한 금융기관에 미리 **적립**했다가 근로자가 **퇴직**할 때 이를 **연금 또는 일시금으로 지급**하는 제도

## 질문 27: 퇴직연금의 종류는?

### 퇴직연금의 종류

| 항목 | 확정급여형(DB형) | 확정기여형(DC형) |
| --- | --- | --- |
| 보험료 부담금 | 퇴직금보다 많거나 적을 수 있음 | 퇴직금과 동일(1/12)/매년중간정산 기준/추가납 가능 |
| 적립금 운용 책임 | 기업 | 근로자 |
| 적립금 운용 방법 | 원리금 보장형 / 실적배당형 | 원리금 보장형 / 실적 배당형 |
| 적립방식 & 수급권 보장 | 부분 사외적립 / 부분 보장 | 전액 사외적립 / 완전 보장 |
| 근로자 퇴직급여 | 확정(근속연수 X 30일 임금) | 변동 |
| 목돈 필요시 | 담보대출(단, 법정사유 충족 시) | 담보대출, 중도인출(단, 법정사유 충족 시) |

고반물질30은 다모아미디어의 고유자산으로 무단 전제·복제 및 임의 사용시 저작권법 위반으로 5년이하의 징역 혹은 5천만원 이하의 벌금형이 부과됩니다.

**질문 28 퇴직연금과 CEO플랜 비교?**

##  퇴직연금과 CEO플랜 비교?

| 항목 | 퇴직연금(사외적립) | 퇴직금제도 (CEO플랜) |
|---|---|---|
| 가입목적 | 근로자 퇴직 후 연금마련 | CEO의 퇴직재원 마련 |
| 관련상품 | 연금상품 | 제한없이 활용됨 |
| 관련절차 | 노사합의 (임원은 선택가입) | 정관변경 |
| 납입보험료(손금인정) | 손금인정 | [사업비+위험보험료]만 손금인정 |
| 세액공제 | 근로자의 DC형 추가납입액 | 공제안됨 |
| 약관대출/납입중지 | 불가능 | 가능 |
| 중도인출 | DC형(법정사유로 가능), DB형(불가능) | 계약성립 후 언제든지 인출가능(법인자금) |
| 납입 | 법인 | 법인 |
| 운영주체 | 납입시 금융기관에 예치 | 지급 전까지 법인 사내 자금 |
| 법인회계처리 | 납입시(매년 비용), 지급시(비용처리 없음) | 납입시(자산), 지급시(일시 비용 처리) |
| 과세문제 | 연금 수령시 과세 | 소득공제無/명의변경시 비과세 기산점 변경 |
| 중간정산 | 법정사유로 가능(주택구입/장기요양/천재지변등) | 법정사유로 가능(주택구입/장기요양/천재지변등) |
| 퇴직처리 후 | IRP로 의무 이전(해지가능)/55세이전 연금수령 불가 | 상품가입 조건에 따라 일시금·연금등 수령 가능 |

CEO플랜

**질문 29** 경영인정기보험 : 손비(비용)처리 가능한가요?

## 납입보험료 전액 비용처리_가능합니다 [서울고등법원(2심) 대법원 판결_2018년8월30일]

☐ 법인세 : 영리/비영리법인

지방세 포함

| 과세표준 | 세율 | 누진공제 |
|---|---|---|
| 2억원 이하 | 9.9% | - |
| 2억원 초과 200억원 이하 | 20.9% | 2,000만원 |
| 200억원 초과 3,000억원 이하 | 23.1% | 42,000만원 |
| 3,000억원 초과 | 26.4% | 942,000만원 |

∴ 5년 : 84.4% 환급 (원금초과 시점)
※ 법인세 20.9%(지방세포함) 절감 감안시

※ 예시 : 질문24번연계 : 56세가입, OO라이프 경영인정기, 만기 95세, 월보험료 3,022,600, 체증형(20%), 사망보험금 2.54억원

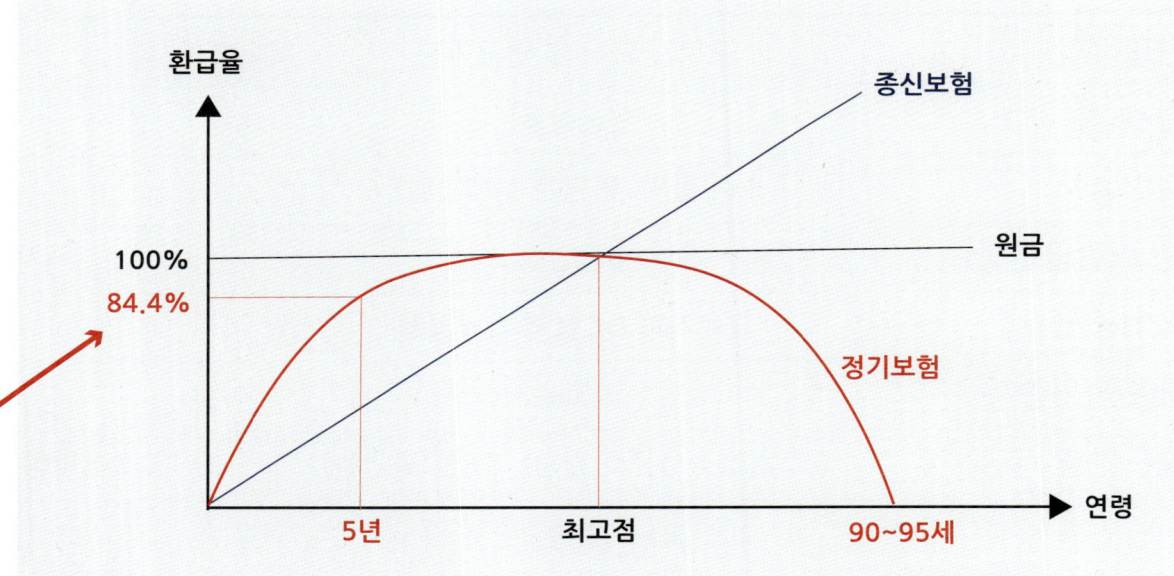

☐ 이유 1 : 경영인 정기보험은 만기환급금이 없는 순수보장성상품
☐ 이유 2 : 95세 만기시 만기환급금 0(ZERO)
☐ 이유 3 : 중도해지를 언제할 지 알 수 없다 : 전기납

그러므로, "납입보험료 전액 = 비용"의 성격 : 납입보험료 전액 "손금(비용)처리"가 가능하다.

**질문 30**

# 경영인정기보험료_회계처리는 어떻게 하나요?
## [퇴직금 4억원 가정]

**보험가입 시점**

차) 보험료 4억　　대) 보통예금 4억

**보험해약 시점**

차) 보통예금 4억　　대) 영업외수익 4억

**퇴직금 지급 시점**

차) 퇴직금 4억　　대) 보통예금 4억

# 고객이 반드시 물어보는 질문 30가지

**생명보험** | **고액자산가**의 고민 | 고액 자산가들의 최대 고민
**상속과 증여**에 대한 궁금점 및 해결책을
저희 전문가들이 해결 해 드립니다.

# 상속·증여

상속 증여

고반물질30은 **다모아미디어**의 고유자산으로 무단 전제·복제 및 임의 사용시 저작권법 위반으로 5년이하의 징역 혹은 5천만원 이하의 벌금형이 부과됩니다.

# 목차

1. FP가 왜 상속 증여에 관심을 가져야 하는가?
2. 상속 vs 증여를 비교해 주세요?
3. 상속의 개시원인에 대해 설명해 주세요?
4. 상속인 및 상속재산 분할절차에 대해 설명해 주세요?
5. 유언서 작성방식(엄격한 형식주의)과 특징(5가지)에 대해 설명해 주세요?
6. 피상속인의 배우자 vs 직계비속에 대해 설명해 주세요?
7. 피상속인의 직계존속, 형제자매, 4촌이내 방계혈족에 대해 설명해 주세요?
8. 대습상속이 무엇인가요?
9. 상속의 결격사유에는 어떤 것이 있나요?
10. 특별수익자의 상속분에 대해 설명해 주세요?
11. 기여분에 대해 설명해 주세요?
12. 유류분에 대해 설명해 주세요?
13. 상속의 승인과 포기에 대해 설명해 주세요?
14. 상속세와 증여세의 세율은 어떻게 되나요?
15. 증여세의 계산흐름에 대해 설명해 주세요?
16. 상속세의 계산흐름에 대해 설명해 주세요?
17. 수증자별 증여공제 금액은 어떻게 되나요?
18. 증여자 분산 시 절세효과는?
19. 수증자 분산 시 절세효과는?
20. 자녀명의 재산 취득 시 주의사항은?
21. 고가·저가 양·수도 거래 시 증여세 주의할 점은?
22. 상속개시전 재산처분 및 예금인출시 주의할 점은?
23. 경제적인 상속세 납부재원 마련방법은 없나요?
24. 종신보험을 활용한 상속세 절세효과의 사례?
25. 보험금 수령 시 상속세 및 증여세 과세는 어떻게 되나요?
26. 증여받은 보험금에 증여세를 부과하지 못하는 경우도 있나요?
27. 상속을 포기하면 사망보험금을 받을 수 없나요?
28. 안심상속 원스톱 서비스가 뭔가요?
29. 상속세 신고 시 감정평가금액으로 신고하는게 유리한가요?
30. 상속재산이 고액일 경우 사후관리시 주의할 점은 없나요?

# 목차 [질문 1~10번]

1. FP가 왜 상속 증여에 관심을 가져야 하는가?
2. 상속 vs 증여를 비교해 주세요?
3. 상속의 개시원인에 대해 설명해 주세요?
4. 상속인 및 상속재산 분할절차에 대해 설명해 주세요?
5. 유언서 작성방식(엄격한 형식주의)과 특징(5가지)에 대해 설명해 주세요?
6. 피상속인의 배우자 vs 직계비속에 대해 설명해 주세요?
7. 피상속인의 직계존속, 형제자매, 4촌이내 방계혈족에 대해 설명해 주세요?
8. 대습상속이 무엇인가요?
9. 상속의 결격사유에는 어떤 것이 있나요?
10. 특별수익자의 상속분에 대해 설명해 주세요?

**질문 01: FP가 왜 상속 증여에 관심을 가져야 하는가?**

### 고소득자 + 자산가 => 부(富)의 1인 집중 시

| | |
|---|---|
| 1억 | 연간 추가 소득 |
| (-) 0.462억 | 소득세 (46.2%) : 금융소득종합과세에 해당 가정 |
| (=) 0.538억 | 소득세 차감 후 |
| (-) 0.269억 | 상속세 (50%) |
| (=) 0.269억 (세후 상속재산) | 1억 - 0.269억 = 0.731억 세금 |

### 부(富)의 이전

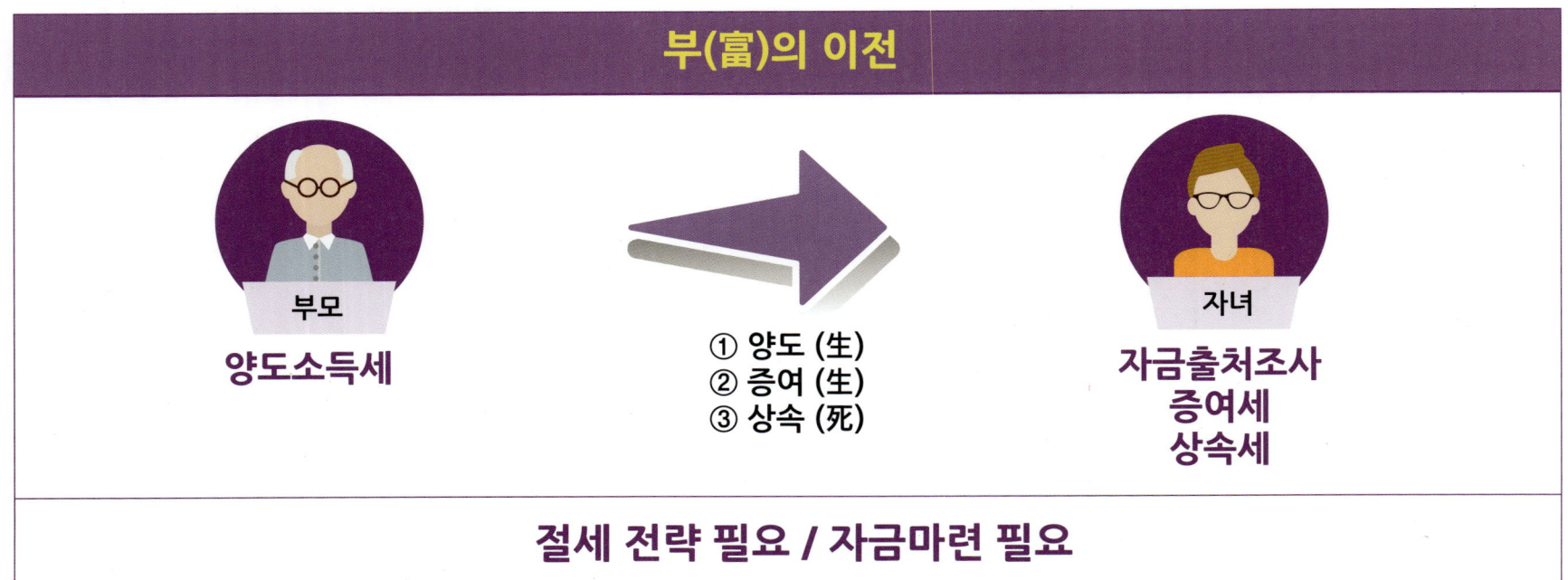

부모 — 양도소득세

① 양도 (生)
② 증여 (生)
③ 상속 (死)

자녀 — 자금출처조사 / 증여세 / 상속세

**절세 전략 필요 / 자금마련 필요**

# 질문 02: 상속 vs 증여를 비교해 주세요?

## ☐ 증여세와 상속세

| 구분 | 개념 | 과세 |
|---|---|---|
| 증여 | 당사자의 일방(증여자)이 **자기의 재산을 무상으로** 상대방(수증자)에게 수여하는 의사를 표시하고 이를 승낙함으로서 효력이 발생하는 **계약** | 증여세 |
| 유증 | 유산의 전부 또는 일부를 무상으로 타인(수유자)에게 **주는 단독행위** | 상속세 |
| 사인증여 | 증여자의 **생전에 증여계약**을 맺었으나 그 **효력은 사망 후**에 발생되는 증여 | |
| 상속 | 사망 또는 **실종선고**를 받은 자(피상속인)의 법률상의 지위가 **일정한 자**(상속인)들이 포괄적으로 승계하는 것 | |

## ☐ 과세의 내용과 납세의무자

| 구분 | 상속 | 증여 |
|---|---|---|
| 과세방법 | 유산세 방식 | 유산취득세 방식 |
| 과세대상 | ☐ **피상속인**이 거주자 : 국내외 소재 **재산**<br>☐ **피상속인**이 비거주자 : 국내 소재 **재산** | ☐ **수증자가 거주자 : 국내외** 소재 **증여재산**<br>☐ **수증자가 비거주자 : 국내** 소재 **증여재산**<br>=>**거주자로부터** 증여받은 **국외금융재산**이나, **국내 재산을 50%이상 보유한 해외법인의 주식**( 2013년 1월 1일 이후 증여 분부터 과세)<br>=>다만, 당사자가 특수관계인이 아닌 경우로서 그 증여재산에 대해 외국 법령으로 증여세 (실질적 유사 조세포함)가 부과 또는 세액 면제되는 경우 증여세 납부의무가 면제됨 〈국제조세조정에 관한 법률 제21조〉 |
| 납세의무자 | 상속인 | 수증자 (증여자) |

※ 거주자 : 국내에 주소를 두거나 183일 이상 거소를 둔 사람

※ 수증자 : 비영리법인 포함
※ 수증자가 영리법인 : 증여세 면제(법인세 과세)

## 질문 03: 상속의 개시원인에 대해 설명해 주세요?

**사망** : 사람이 법률적 권리·의무 주체로서의 권리능력을 소멸하는 것

### 1. 자연사망
- 사람의 호흡과 심장 기능의 영구적 정지상태(민법상 사망)
- 뇌사(의료법상 사망)=>상속개시의 원인인 사망에 해당하지 않음
- 사망사실을 안 날로부터 1개월내 의사 사망진단서 또는 사체검안서를 첨부하여 신고(제적)

### 2. 인정사망 (추정)
- 수난, 화재 등으로 추정은 가능하나 시체 확인은 없지만 고도의 사망 개연성 존재시 조사한 관공서가 사망지의 시, 읍, 면장에게 사망보고

### 3. 실종선고 (간주)
- 생사불명상태가 장기간지속 및 고도 사망 개연성에도 사망의 확증이 없는 경우 일정 요건하에 법원이 실종선고(사망과 동일효과 발생)를 함
- 보통실종(5년), 특별실종(1년) : 기간은 부재자 최후 생존 증명시점부터 기산
- 특별실종
  =>전쟁(전쟁종지시점), 선박(침몰시점), 항공기(추락시점), 기타위난(종료시점)

### 질문 04: 상속인 및 상속재산 분할절차에 대해 설명해 주세요?

| ① 상속분할 순서 | 유언 -> 협의분할 -> 법정분할(**가정법원**, 민법상 지분비율) |
|---|---|
| ② 법정 지분 | 균등상속 (단, 배우자는 50% 가산) |

| 상속순위 | 상속인 | 비고 |
|---|---|---|
| 1순위 | 직계비속과 배우자 | 직계존비속이 없는 경우 배우자 단독상속 |
| 2순위 | 직계존속과 배우자 | |
| 3순위 | 형제자매 | 선순위 상속인이 없어야 함 |
| 4순위 | 4촌이내의 방계혈족 | 선순위 상속인이 없어야 함 |

| 구분 | 법정상속비율 | 비고 |
|---|---|---|
| 배우자 | 1.5 | 대습상속인 배우자도 동일 |
| 직계비속 | 1 | 장남, 성별, 혼인여부 불문 |

| 유류분 | 법정유류분권 |
|---|---|
| 피상속인의 배우자 및 직계비속 | 법정상속분의 1/2 |
| 피상속인의 직계존속 및 형제자매 | 법정상속분의 1/3 |

| 상속인 | 법정상속분 | 비율 | 유류분 비율 |
|---|---|---|---|
| 자녀2명 + 배우자 | 장남 : 1<br>차남 : 1<br>배우자 : 1.5  합계 : 3.5 | 2/7 (20억)<br>2/7 (20억)<br>3/7 (30억) | ⟨70억 전액 장남 유증⟩<br>1/2 (10억)<br>1/2 (15억) |

상속증여

## 질문 05: 유언서 작성방식(엄격한 형식주의)과 특징(5가지)에 대해 설명해 주세요?

| 방식 | 검인 (가정법원) | 증인 | 장점 | 단점 | 내용 |
|---|---|---|---|---|---|
| 자필증서 | O | X | - 증인불필요<br>- 비밀유지 | - 위조, 분실 | - 유언서 전문, 연월일, 주소<br>- 성명을 자서, 날인(서명X) |
| 녹음 | O | 1인↑ | - 필기가 필요X | - 비밀누설 | - 유언내용 음성녹음<br>- 증인 확인 |
| 공정증서 | X | 2인↑ | - 위변조 불가<br>- 검인 불필요 | - 절차복장<br>- 비용부담<br>- 비밀누설 | - 유언내용 구술<br>- 공증인 기재·낭독<br>- 증인의 확인 |
| 비밀증서 | O | 2인↑ | - 비밀유지 | - 위조, 분실 | - 유언서 봉인<br>- 봉인을 증인이 확인<br>- 확정일자 (제출일로부터 5일이내) |
| 구수증서 | O | 2인↑ | - 급박한 경우 | - 실효성 의문 | - 급박한 사유 발생 시<br>- 유언자가 유언의 취지 구수<br>- 증인 필기, 낭독, 확인, 기명날인<br>- 위난 종료후 7일이내 검인 必 |

**질문 06: 피상속인의 배우자 vs 직계비속에 대해 설명해 주세요?**

### 피상속인의 배우자 : 혈족상속인과 별도로 항상 상속인

1. **1순위 직계비속** 또는 **2순위 직계존속**과 함께 **공동상속**
2. **직계존비속이 없는 경우 단독상속**   3. **배우자** 요건 : **법률상의 배우자 (사실혼 제외)**
3. **사실혼 배우자** : **특별연고자**(민법)로 인정될 경우 **잔여재산 분배는 가능** (상속인이 전혀 없을 경우 만)
   ※ 민법 이외 법률에서는 사실혼 부부를 법률상 부부와 동일하게 취급
   ① 근로기준법상 유족보상, 공적연금수급권자 포함 ② 주택임대차보호법상 임차인이 상속인 없이 사망한 경우 임차권 승계
5. **이혼의 경우**는 배우자가 아니므로 **상속자격 결격 (이혼소송 중 O)**

### 피상속인의 직계비속

**1. 양자**

| 구분 | 보통양자 | 친양자 [아이 19세미만 / 친생부모의 동의 / 법원의 허가] |
|---|---|---|
| 성립요건 | 협의 | 재판 |
| 자녀의 성과 본 | 친생부의 성과 본 유지 | 양부의 성과 본으로 변경 |
| 친생부모와의 관계 | 유지 | 단절 |
| 효력 | 입양시점부터 혼인 중의 자로 간주<br>친생부모와의 관계도 친권을 제외하고 변함이 없음<br>(제1순위 상속권 유지) | 재판확정시점부터 혼인 중의 자로 간주<br>친생 부모와의 법적관계가 모두 소멸<br>(상속권없음) |

**2. 혼인 외 출생자** : 친자임을 확인 할 때 만 상속권 보유
 : 임의인지(유언을 통해 인지 가능) / 강제인지 (인지확인청구소송=>부모사망을 안 날로부터 2년이내)
   ※ "인지청구권"은 실효의 대상이 되지 않는다(대법원,2001년)

**3. 계모자. 적모서자 관계 (상속인X)** : 단순 인척관계 ※ 단, 양자관계를 맺어 상속관계 형성 가능

**질문 07** 피상속인의 **직계존속, 형제자매, 4촌이내 방계혈족**에 대해 설명해 주세요?

### 피상속인의 직계존속

1. **1순위 직계비속이 없을 경우 (사망, 전원상속결격 및 상속포기 포함)** 상속인 자격
2. **부모가 없는 경우 조부모(최근친 우선)가 직계존속**이 되며 **친가.외가.생가.양가 구별 없음**
3. **직계존속**이 **여러 명인 경우 최근친**이 **상속인**이 됨

### 피상속인의 형제자매 (대습상속O, 유류분O)

1. 피상속인의 **부모가 같은 형제자매 (사촌형제자매 제외)**
2. 피상속인의 **직계존비속, 배우자 부존재 및 모두 상속포기, 결격인 경우만 상속 가능**
3. **동복형제자매**는 **어머니 재산**, **이복형제자매**는 **아버지 재산**의 **공동상속인**이 됨

### 피상속인의 4촌이내 방계혈족 (대습상속X, 유류분X)

1. **다른 상속인 모두 상속결격, 포기한 경우 상속가능**
2. **촌수가 다른 경우 최근친**이 **우선**하며, **촌수가 같은 경우 모두 공동상속인**이 됨

## 질문 08 : 대습상속이 무엇인가요?

### 대습상속이란?

1. **정의** : 상속인이 될 사망자의 직계비속 또는 형제자매가 상속개시 전에 사망하거나 결격자가 된 경우에 그 직계비속이 있는 때에는 **그 직계비속이 '사망하거나 결격된 자'의 순위에 갈음하여 상속인**이 되고, **상속개시 전에 '사망 또는 결격된 자'의 배우자도** 그 **직계비속과 함께 동 순위로 공동상속인**이 되며, 그 **직계비속이 없을 때 에는 단독상속인**이 된다. 이것을 **대습상속**이라고 한다.

2. **대상** : **직계비속의 직계비속 및 그 배우자 / 형제자매의 직계비속 및 그 배우자**

3. **요건** : 추정상속인(피대습인)이 **상속개시전 사망 또는 결격으로 상속권을 상실시**

4. **상속포기** : 대습상속 인정요건이 아님

5. **동시사망(판례) 및 태아의 경우** : 대습상속 **인정**

6. **대습상속의 경우** : 상속세액의 30%(40%) **할증과세 X**

7. **피대습상속인**의 **상속순위**와 **상속분**을 **그대로 상속**

상속증여

## 질문 09 상속의 결격사유에는 어떤 것이 있나요?

### 상속결격의 의의 및 사유 (5가지)

**상속인에 대하여 법정사유가 발생**하면 그 **상속인이** 피상속인을 상속하는 자격인 **상속권을** 인정하지 않는 것으로 **상속협동체를 깨뜨리는 비행을 저지**하기 위한 **제도**이다.
즉 자녀가 부를 살해한 경우와 같이 상속인에게 범죄나 비행이 있는 경우에도 상속을 인정하는 것은 보편적인 법감정에 반하기 때문이다.
**상속결격자**는 피상속에 대하여 **상속인이 될 수 없으며**, 동시에 **증여도 받을 수 없다.**
결격의 효과는 **결격자의 일신에만 미치며, 결격자의 직계비속**이나 **배우자**가 **대습상속하는 데는 지장이 없다.**

1. 고의로 직계존속, 피상속인과 그 배우자 또는 상속의 선순위자나 동순위자를 '살해하거나 살해 하려고 한' 경우 : **공동상속인 지위에 있는 태아의 살해(낙태)도 상속결격 사유**

2. 고의로 직계존속, 피상속인과 그 배우자에게 상해를 가하여 사망에 이르게 한 경우

3. 사기 또는 강박으로 피상속인의 상속에 관한 유언 또는 그 철회를 방해한 경우

4. 사기 또는 강박으로 피상속인의 상속에 관한 유언을 하게 한 경우

5. 피상속인의 상속에 관한 유언서를 위조, 변조, 파기 또는 은닉한 자

고반물질30은 다모아미디어의 고유자산으로 무단 전제·복제 및 임의 사용시 저작권법 위반으로 5년이하의 징역 혹은 5천만원 이하의 벌금형이 부과됩니다.

**질문 10: 특별수익자의 상속분에 대해 설명해 주세요?**

## 특별수익자의 상속분

### 1. 의의
- **공동상속인 중★** 사전증여 및 유증으로 받은 재산
- 특별수익 비수혜자와의 형평성 문제 발생
- 특별수익 산정 후 수증자 상속 부족분 한도 내 인정함

> ① 상속간주재산 = 상속시 재산가액 + 증여가액
> ② 구체적상속분 = (상속간주재산 × 지분율) - 사전증여 및 유증가액
> ③ 상속이익 = 구체적 상속분 + 특별수익

### 2. 범위
- 혼인자금, 생계자금, 주택자금 (★부양자금은 제외)
- 생명보험금 및 사망퇴직금도 포함
- **기간에 제한 없이★** 실질적 상속의 의미를 갖는 모든 증여가 포함 (★유류분 : 1년)
- 모든 공동상속인에 대한 유증은 특별수익에 해당되는데 다만 상속재산 평가시 생전증여와 달리, 상속재산에는 포함되지 않음

### 3. 평가방법
- 상속 개시시점 기준★
- 본인 법정지분 초과시 타인의 유류분을 침해하지 않는 경우 초과분을 반환할 필요는 없음★
- 유류분을 침해하는 경우 : 유류분반환청구의 대상
- 특별수익 산정시 상속채무를 상속재산가액에서 공제 안함

상속증여

# 목차 [질문 11~20번]

11. 기여분에 대해 설명해 주세요?

12. 유류분에 대해 설명해 주세요?

13. 상속의 승인과 포기에 대해 설명해 주세요?

14. 상속세와 증여세의 세율은 어떻게 되나요?

15. 증여세의 계산흐름에 대해 설명해 주세요?

16. 상속세의 계산흐름에 대해 설명해 주세요?

17. 수증자별 증여공제 금액은 어떻게 되나요?

18. 증여자 분산 시 절세효과는?

19. 수증자 분산 시 절세효과는?

20. 자녀명의 재산 취득 시 주의사항은 ?

## 질문 11. 기여분에 대해 설명해 주세요?

### 기여분?

**1. 의의**
- **공동상속인 중★** 피상속인의 **재산증가 및 유지에 특별히 기여한 자**를 **기여분만큼 더 지급**하는 것으로 법정상속분대로 상속 시 비기여자와의 형평성 문제 발생

**2. 범위**
- 반드시 공동상속인 중에 **상당기간 동거, 간호** 그 밖의 방법으로 **특별 부양**하거나 **재산의 유지 및 증가에 특별히 기여**한 자만 가능
- 통상의 부양은 제외, 특별한 기여에 한함
- 판례 : 출가한 딸의 장기간 부모 동거 봉양시, 무상으로 피상속인 사업체 노무제공, 피상속인 치료와 간호 및 직접비용 부담

**3. 평가방법**
- 상속인들 협의 -> **가정법원** 신청 후 **조정 및 판결**
- **한도** : 상속재산가액 - 유증가액을 넘지 못함★
- **유류분** : **기여분 공제 후** 상속재산을 기초로 산정 (★기여분은 유류분과 아무런 관련이 없다)

① 상속간주재산 = 상속시 재산가액 - 기여분
② 구체적상속분 = (상속간주재산 × 지분율) + 기여분

상속 증여

## 질문 12: 유류분에 대해 설명해 주세요?

### 유류분?

1. **의의** : 피상속인의 유언에 의한 재산 처분의 자유를 제한함으로써 상속인에게 법정상속분에 대한 **일정비율의 상속재산을 확보**해 주는 제도이다.

2. **유류분 권리자**
   - 피상속인의 **직계비속, 배우자, 직계존속, 형제자매**
   - 대습상속인과 **태아**도 유류분권 인정
   - 상속결격자는 유류분 권리자가 될 수 없으나, **대습상속인은 유류분권 인정**
   - 상속포기자는 대습상속이 불인정되므로, 유류분권 불인정 **[상속포기 시 유류분권도 상실]**

3. **구체적인 유류분**
   - 피상속인의 **직계비속 및 배우자** : 법정상속분의 ½
   - 피상속인의 **직계존속 및 형제자매** : 법정상속분의 ⅓

> **유류분 산정의 기초재산 = 상속개시시 피상속인 보유재산 + 증여재산 - 채무**
> ★ 상속개시 1년간에 행한 증여에 한해 산입
> ★ 악의적 유류분권 침해, 공동상속인 사전증여 재산 및 특별수익은 1년 전 발생 건이라도 모두 산입

4. **유류분반환청구권**
   - **증여와 유증이 동시** 존재시 **유증 → 증여의 순**으로 반환청구
   - 유증 및 증여자가 다수인 경우 받은 가액에 비례하여 반환을 받게 된다.
   - **증여나 유증을 한 사실을 안 때로부터 1년, 상속개시일로부터 10년 경과 시 소멸**

## 질문 13: 상속의 승인과 포기에 대해 설명해 주세요?

| 구분 | 내용 |
|---|---|
| 단순승인 | □ 피상속인의 **적극재산**과 **소극재산** 모두를 **무조건 상속**<br>□ 단순승인이 되었다 하더라도 중대한 과실 없이 상속채무가 재산을 초과하는 사실을 모른 경우에는 **그 사실을 안 날로부터 3개월 이내** [상속의 한정승인] |
| 한정승인 | □ 상속으로 인하여 **취득할 재산의 한도 내**에서 피 상속인의 **채무를 변제할 것**을 조건으로 **상속**<br>□ 상속개시를 안 날로부터 **3개월 내**에 **가정법원에 한정승인 신청** [상속재산의 목록을 첨부]<br>□ 단순히 상속포기를 할 경우 적극재산도 상속을 받지 못하게 되어 중요한 생활의 기반마저 잃게 될 염려가 있는 경우 또는 채무초과 상태인지 아닌지 알 수 없을 경우 선택 |
| 상속포기 | □ 처음부터 상속인이 아닌 것으로 보아 피상속인 자산의 모든 권리와 의무가 승계되지 않음<br>□ 상속개시를 안 날로부터 **3개월 내 상속포기 신청(가정법원)** : **단독**의 **의사표시, 포괄적·무조건적**<br>□ 선순위 상속인들이 상속을 포기하는 경우 그 다음 순위 상속인에게 부채를 포함한 피상속인의 재산이 상속된다. 상속개시 전에는 포기할 수 없다. |

### 사망보험금의 세법과 민법상의 적용
- **사망보험금**의 경우 **세법적으로는** 간주상속재산으로 **상속재산에 포함**
- **민법상으로는** 수익자의 고유자산으로 상속재산의 범주에 **불포함**

## 질문 14: 상속세와 증여세의 세율은 어떻게 되나요?

| 과세표준 | 세율 (상속세 및 증여세법 26조) | 누진공제액 |
|---|---|---|
| 1억원이하 | 과세표준의 10% | - |
| 1억원초과 5억원이하 | 1천만원 + 1억원을 초과하는 금액의 20% | 1천만원 |
| 5억원초과 10억원이하 | 9천만원 + 5억원을 초과하는 금액의 30% | 6천만원 |
| 10억원초과 30억원이하 | 2억4천만원 + 10억원을 초과하는 금액의 40% | 1억6천만원 |
| 30억원초과 | 10억4천만원 + 30억원을 초과하는 금액의 50% | 4억6천만원 |

### 직계비속에 대한 증여의 할증과세 (상속세 및 증여세법 57조)

| | |
|---|---|
| 증여재산가액이 20억원 이하인 경우 | 30% 할증과세 |
| 증여재산가액이 20억원을 초과하는 경우 (미성년자에 해당하는 경우) | 40% 할증과세 |

### 세대를 건너뛴 상속에 대한 할증과세 (상속세 및 증여세법 27조)

| | |
|---|---|
| 상속재산가액이 20억원 이하인 경우 | 30% 할증과세 |
| 상속재산가액이 20억원을 초과하는 경우 (미성년자에 해당하는 경우) | 40% 할증과세 |

고반물질30은 다모아미디어의 고유자산으로 무단 전제·복제 및 임의 사용시 저작권법 위반으로 5년이하의 징역 혹은 5천만원 이하의 벌금형이 부과됩니다.

## 질문 15: 증여세의 계산흐름에 대해 설명해 주세요?

**증여재산가액** + **10년 내 증여재산** − **담보된 채무**

- 증여당시 시가
- 10년 내 동일인으로부터 증여받은 재산가액
- 증여자가 직계존속의 경우에는 그 배우자 포함
- 증여재산에 담보된 채무

= **증여세 과세가액** − **증여재산공제** = **증여세 과세표준** × **세율**

[증여자 기준]
- 배우자 : 6억원
- 직계존속 : 5천만원 (미성년자 : 2천만원)
- 직계비속 : 5천만원
- 기타친족 : 1천만원
- 창업자금등 : 5억원

- 10%~50%
- 창업자금 : 10%
- 가업승계 : 10%(20%)

= **증여세 산출세액** + **세대를 건너뛴 증여에 대한 할증과세** − **세액공제 등**

- 산출세액의 30%(40%할증)

- 신고세액공제
- 외국납부세액공제
- 영농자녀 증여세 감면
- 박물관 자료등 징수유예

+ **가산세** = **납부할 세액**

- 무신고·과소신고 가산세 : 10~40%
- 납부지연가산세 : 1일 0.025%

상속증여

## 질문 16: 상속세의 계산흐름에 대해 설명해 주세요?

**총상속재산** − **비과세재산** − **상속세과세가액 불산입재산** − **공과금 / 장례비용 / 채무** + **증여재산**

- 총상속재산
  - 본래의 상속재산
  - 간주상속재산
  - 상속개시 전 처분재산등
- 비과세재산
  - 금양임야
  - 묘토인 농지 등
- 상속세과세가액 불산입재산
  - 공익법인등 출연재산
- 증여재산
  - 증여재산 (창업자금·가업승계 주식 포함)

= **상속세 과세가액** − **상속공제** = **과세표준** × **세율**

- 상속공제
  - 기초공제
  - 가업(영농)상속공제
  - 배우자상속공제
  - 그 밖의 인적공제
  - 금융재산상속공제
  - 재해손실공제
  - 동거주택상속공제
  - 감정평가수수료등 (공제한도)
- 세율: 10% ~ 50%

= **산출세액** + **세대를 건너뛴 상속에 대한 할증과세** − **세액공제 등** = **납부할 세액**

- 할증과세: 30%(40%) 가산
- 세액공제 등
  - 신고세액공제
  - 증여세액공제
  - 단기재상속세액공제
  - 외국납부세액공제
  - 문화재자료등 징수유예

## 질문 17. 수증자별 증여공제 금액은 어떻게 되나요?

> 증여세는 수증자별로 과세하므로 여러 사람에게 나누어 증여하는 경우 : 절세효과 ↑

| 구분 | 2014년 1월 1일 이후 증여분부터 | 증여재산 공제(10년) |
|---|---|---|
| I | 배우자로부터 증여를 받는 경우 | 6억원 |
| II | 직계존속으로부터 증여를 받는 경우<br>(계부·계모로부터 증여 받는 경우에도 직계존속으로부터 증여 받은 경우와 동일하게 적용) | 5천만원<br>(미성년자 2천만원) |
| II | 결혼/출산으로 직계존속으로부터 증여를 받는 경우 (2024년1월1일이후)<br>(결혼 : 혼인신고일 이전2년, 이후2년(총4년), 출산(입양) : 출산(입양)신고일부터 2년이내) | 1억원 |
| III | 직계비속으로부터 증여를 받은 경우 | 5천만원 |
| VI | II와 III의 경우 외에 6촌이내 혈족, 4촌이내 인척으로부터 증여를 받은 경우 | 1천만원 |

▶ 미성년자 : 2013년 7월 1일 이후 증여분부터는 만19세미만인 사람
▶ 결혼/출산 증여 : 2024년 1월 1일 이후 증여분부터 적용

**혼인·출산 증여재산공제**는 우리나라 청년들이 주택 가격 상승 등으로 **결혼**을 미루고, **육아 비용 부담**으로 **출산율**이 낮아지는 문제점을 **극복**하기 위해 **2024년부터 시행**하는 제도

## 질문 18: 증여자 분산 시 절세효과는?

### 각자 본인의 아버지로부터 2억원을 증여 받아 신고·납부하는 경우

[단위 : 천원]

| 증여자 | 증여재산 | 증여공제 | 과세표준 | 세율 | 산출세액 | 세액공제 | 납부세액 |
|---|---|---|---|---|---|---|---|
| 본인(아버지) | 200,000 | 50,000 | 150,000 | 20% | 20,000 | 600 | 19,400 |
| 배우자(친정아버지) | 200,000 | 50,000 | 150,000 | 20% | 20,000 | 600 | 19,400 |
| 합계 | 400,000 | 100,000 | 300,000 | | 40,000 | 1,200 | 38,800 |

### 본인의 부모와 처가 또는 시댁에서 각각 1억원을 증여 받아 신고·납부 하는 경우

[단위 : 천원]

| 증여자 | 증여재산 | 증여공제 | 과세표준 | 세율 | 산출세액 | 세액공제 | 납부세액 |
|---|---|---|---|---|---|---|---|
| 본인(아버지) | 100,000 | 50,000 | 50,000 | 10% | 5,000 | 150 | 4,850 |
| 본인(장인) | 100,000 | 10,000 | 90,000 | 10% | 9,000 | 270 | 8,730 |
| 배우자(친정아버지) | 100,000 | 50,000 | 50,000 | 10% | 5,000 | 150 | 4,850 |
| 배우자(시아버지) | 100,000 | 10,000 | 90,000 | 10% | 9,000 | 270 | 8,730 |
| 합계 | 400,000 | 120,000 | 280,000 | | 28,000 | 840 | 27,160 |

고반물질30은 다모아미디어의 고유자산으로 무단 전제·복제 및 임의 사용시 저작권법 위반으로 5년이하의 징역 혹은 5천만원 이하의 벌금형이 부과됩니다.

**질문 19**

# 수증자 분산 시 절세효과는?

## 👆 기준시가 12억원인 상가를 아들에게 전부 증여하는 경우

[단위 : 천원]

| 수증자 | 증여재산 | 증여공제 | 과세표준 | 세율 | 산출세액 | 세액공제 | 납부세액 |
|---|---|---|---|---|---|---|---|
| 아들 | 1,200,000 | 50,000 | 1,150,000 | 40% | 300,000 | 9,000 | 291,000 |
| 합계 | 1,200,000 | 50,000 | 1,150,000 |  | 300,000 | 9,000 | 291,000 |

## 👆 기준시가 12억원인 상가를 아들, 손자, 며느리에게 각각 1/3씩 증여하는 경우

[단위 : 천원]

| 증여자 | 증여재산 | 증여공제 | 과세표준 | 세율 | 산출세액 | 세액공제 | 납부세액 |
|---|---|---|---|---|---|---|---|
| 아들 | 400,000 | 50,000 | 350,000 | 20% | 60,000 | 1,800 | 58,200 |
| 손자 | 400,000 | 20,000 | 380,000 | 20% | 85,800 (30%할증) | 2,574 | 83,226 |
| 며느리 | 400,000 | 10,000 | 390,000 | 20% | 68,000 | 2,040 | 65,960 |
| 합계 | 1,200,000 | 80,000 | 1,120,000 |  | 213,800 | 6,414 | 207,386 |

증여세 뿐만 아니라 임대소득에 대한 종합소득세, 양도소득세, 미래의 상속세 부담을 감소 시킬 수 있으며, 손자와 며느리가 증여 받은 재산은 5년 합산과세규정이 적용되므로 사전 증여재산에 대한 상속재산 합산과세의 가능성을 낮출 수 있다. **절세**를 위해서는 **무조건 나누어 증여**하는 것이 **바람직**

상속증여

**질문 20** 자녀명의 재산 취득 시 주의사항은?

## 재산취득자금 및 채무상환자금에 대한 증여추정 배제 기준

재산취득일 또는 채무상환일 전 10년 이내에 재산취득금액 및 채무상환금액이 아래의 기준금액 미만인 경우에는 증여추정 안함

### 상속세 및 증여세 사무처리규정 31조

| 구분 | | 취득재산 | | 채무상환 | 총액한도 |
|---|---|---|---|---|---|
| | | 주택 | 기타재산 | | |
| 세대주 | 30세이상 | 1억5천만원 | 5천만원 | 5천만원 | 2억원 |
| | 40세이상 | 3억원 | 1억원 | 5천만원 | 4억원 |
| 비세대주 | 30세이상 | 7천만원 | 5천만원 | 5천만원 | 1억2천만원 |
| | 40세이상 | 1억5천만원 | 1억원 | 5천만원 | 2억5천만원 |
| 30세미만 | | 5천만원 | 5천만원 | 5천만원 | 1억원 |

다만, 상기 금액 이하이더라도 취득자금 또는 상환자금을 타인으로부터 증여 받은 사실이 객관적으로 확인되는 경우에는 증여세 과세대상이 된다.
※ 단, 이 경우에는 증여사실을 과세관청이 입증해야 하는 것이다.

## 취득자금 소명 : 입증 못한 금액이 취득금액의 20%와 2억원 중 작은 금액에 미달하면 입증한 것으로 봄

| 구분 | 채무상환 |
|---|---|
| 취득자금이 10억원 미만 | 자금의 출처가 80%이상 확인되면 나머지 부분은 소명하지 않아도 됨. (미성년자와 같이 소득이 전혀 없는 사람의 경우는 전액 입증해야 함) |
| 취득자금이 10억원 이상 | 자금의 출처를 제시하지 못한 금액이 2억원 미만인 경우에만 취득자금 전체가 소명된 것으로 봄 |

# 목차 [질문 21~30번]

21. 고가·저가 양·수도 거래 시 증여세 주의할 점은?

22. 상속개시전 재산처분 및 예금인출시 주의할 점은?

23. 경제적인 상속세 납부재원 마련방법은 없나요?

24. 종신보험을 활용한 상속세 절세효과의 사례?

25. 보험금 수령 시 상속세 및 증여세 과세는 어떻게 되나요?

26. 증여받은 보험금에 증여세를 부과하지 못하는 경우도 있나요?

27. 상속을 포기하면 사망보험금을 받을 수 없나요?

28. 안심상속 원스톱 서비스가 뭔가요?

29. 상속세 신고 시 감정평가금액으로 신고하는게 유리한가요?

30. 상속재산이 고액일 경우 사후관리시 주의할 점은 없나요?

상속증여

고반물질30은 다모아미디어의 고유자산으로 무단 전제·복제 및 임의 사용시 저작권법 위반으로 5년이하의 징역 혹은 5천만원 이하의 벌금형이 부과됩니다.

# 질문 21: 고가·저가 양·수도 거래 시 증여세 주의할 점은?

## 특수관계인과의 거래의 경우

| 특수관계인과의 거래내용 | | 양수자 | 양도자 |
|---|---|---|---|
| 고가양도 | 대가 ≥ 시가의 130% 또는 (대가 - 시가) ≥ 3억원 | ▫ 양도소득세 검토<br>부당행위계산부인규정에 의해 추후 양도소득세 계산시 취득당시 시가를 취득가액으로 함 | ▫ 증여세 검토<br>▫ 증여금액<br>=(대가-시가)-MIN[시가의 30%, 3억원] |
| 저가양수 | 대가 ≤ 시가의 70% 또는 (시가 - 대가) ≥ 3억원 | ▫ 증여세 검토<br>▫ 증여금액<br>=(시가-대가)-MIN[시가의 30%, 3억원] | ▫ 양도소득세 검토<br>부당행위계산부인규정에 의해 시가를 양도가액으로 함 |

※ **소득세법의 부당행위계산부인 규정**
　과세관청은 양도소득이 있는 자가 그와 특수관계인과의 거래로 인하여 그 소득에 대한 조세부담이 부당하게 감소시킨 것으로 인정되는 경우에는 그 행위 또는 계산과 관계없이 시가를 양도가액으로 하여 해당 과세기간의 소득금액을 계산할 수 있다.
　이때 '**조세부담을 부당하게 감소시킨 것으로 인정되는 때**'란 특수관계인으로부터 시가보다 높은 가격으로 자산을 매입하거나 특수관계인에게 시가보다 낮은 가격으로 자산을 양도하는 경우로서 시가와 거래가액의 차액이 3억원 이상이거나 시가의 100분의 5에 상당하는 금액 이상일 때이다.

## 비특수관계인과의 거래의 경우

| 비특수관계인과의 거래내용 | | 증여이익 |
|---|---|---|
| 고가양도 | 대가 - 시가 ≥ 시가의 30% | 증여금액 = (대가 - 시가) - 3억원 |
| 저가양수 | 시가 - 대가 ≥ 시가의 30% | 증여금액 = (시가 - 대가) - 3억원 |

## 질문 22: 상속개시전 재산처분 및 예금인출시 주의할 점은?

### 재산처분·예금인출에 대한 증빙관리를 철저히 하라

| 상속개시 전 1년이내 | 상속개시 전 2년 이내 |
|---|---|
| ▫ 재산처분·예금인출 금액이 재산종류별 **2억원 이상**인 경우 소명대상<br>▫ 80% 이상 미 소명 시 상속재산에 포함 | ▫ 재산처분·예금인출 금액이 재산종류별 **5억원 이상**인 경우 소명대상<br>▫ 80% 이상 미 소명 시 상속재산에 포함 |

### 상속세 및 증여세법 15조 1항

| 재산의 종류 | 사전처분등의 금액 | |
|---|---|---|
| | 1년이내 | 2년이내 |
| ① 현금, 예금 등 | 2억원↓ | 5억원↓ |
| ② 부동산 등 | 2억원↓ | 5억원↓ |
| ③ 기타재산 | 2억원↓ | 5억원↓ |
| ④ 채무부담 | 2억원↓ | 5억원↓ |
| 합계 | 8억원↓ | 20억원↓ |

※ 추정상속재산가액 = 재산 처분액 및 채무 부담액 중 용도 불분명한 금액 - (재산처분액의 20%와 2억원중 작은금액)

## 질문 23: 경제적인 상속세 납부재원 마련방법은 없나요?

### 현 금  ✗

- 우리나라 부유층의 재산 중 70%이상이 부동산 등 고정자산인 점에 비추어 거액의 상속세에 해당하는 **금융자산을 보유하고 있을 확률이 낮음**
- 금융재산이라 하더라도 중도해지수수료, 매매 타이밍에 따른 손실가능성 등으로 인해 **유동성이 충분하지 않을 가능성**이 있음

### 대 출  ✗

- 금융기관은 대출가능금액의 평가를 위해 해당 물건에 대한 감정평가 실시
- 기준시가(공시지가)로 평가한 **부동산이 감정가격으로 상향평가** 되어 **상속세 부담이 가중**

### 물 납  ✗

- 부동산 등의 가치를 기준시가로 신고한 경우 물납을 통해 인정받는 재산가치 역시 신고가액에 준할 것이므로 **시가대비 차액**만큼 **손실**발생

### 부동산매도  ✗

- 유동성이 없는 부동산의 특성상 **급매에 따른 손실 발생**
- 기준시가(공시지가)로 신고한 부동산의 실거래 가격이 노출되어 **상속재산가액이 상향 평가**되어 **상속세 부담이 증가**할 가능성에 노출

### 종신보험  ○

- 어느 시점에 사망하더라도 약정한 보험금이 지급되는 적기성
- 상속세 납부재원으로서 최고의 방법

---

고반물질30은 다모아미디어의 고유자산으로 무단 전제·복제 및 임의 사용시 저작권법 위반으로 5년이하의 징역 혹은 5천만원 이하의 벌금형이 부과됩니다.

## 질문 24: 종신보험을 활용한 상속세 절세효과의 사례?

- 가족 관계 : 배우자 없음, 20세 이상 자녀 2명
- 재산 보유 현황 : 시가 100억원 상가건물, 8억원 아파트, 2억원 금융자산
  ※ 상가건물 : 기준시가 60억원, 임대보증금 10억원

[단위 : 천원]

| 구분 | | ① 종신보험 미가입시 [상가 90억원에 매도] | ② 종신보험 가입시 [피상속인이 계약자] | ③ 종신보험 가입시 [경제적 능력있는 상속인이 계약자] |
|---|---|---|---|---|
| 상속세 부과대상 상속재산 | 부동산 | 8,800,000 | 5,800,000 | 5,800,000 |
| | 금융자산 | 200,000 | 200,000 | 200,000 |
| | 보험금 | - | 2,000,000 | - |
| | 계 | 9,000,000 | 8,000,000 | 6,000,000 |
| 공제 대상 | 일괄공제 | 500,000 | 500,000 | 500,000 |
| | 기타공제 | 10,000 | 10,000 | 10,000 |
| | 금융재산공제 | 40,000 | 200,000 | 40,000 |
| | 계 | 550,000 | 710,000 | 550,000 |
| 과세표준 | | 8,450,000 | 7,290,000 | 5,450,000 |
| 적용세율 | | 50% | 50% | 50% |
| 산출세액 | | 3,765,000 | 3,185,000 | 2,265,000 |
| 납부세액 | | 3,652,050 | 3,089,450 | 2,197,050 |
| 상속세 납부후 잔여재산 [상가 시세 기준] | | 5,347,950 [아파트+현금] | 8,910,550 [상가+아파트+현금] | 9,802,950 [상가+아파트+현금] |

※ 종신보험 20억원 가입으로 : 잔여재산 35억 ~ 43억원 증가 효과

고반물질30은 다모아미디어의 고유자산으로 무단 전제·복제 및 임의 사용시 저작권법 위반으로 5년이하의 징역 혹은 5천만원 이하의 벌금형이 부과됩니다.

상속증여

# 질문 25: 보험금 수령 시 상속세 및 증여세 과세는 어떻게 되나요?

## 보험금 수령 시 상속세 및 증여세 과세 예시

| 계약자 | 실질 보험료 납입자 | 피보험자 | 수익자 (보험금 수령인) | 만기 보험사고 | 세법적용 |
|---|---|---|---|---|---|
| 본인 | 본인 | 본인 | 본인 | 본인사망 | 상속세 |
| 본인 | 본인 | 본인 | 자녀 | 만기 | 증여세 |
| 본인 | 본인 | 본인 | 자녀 | 본인사망 | 상속세 |
| 자녀 (소득無) | 본인 | 본인 | 자녀 | 만기 | 증여세 |
| 자녀 (소득無) | 본인 | 본인 | 자녀 | 본인사망 | 상속세 |
| 자녀 (소득有) | 자녀 | 본인 | 자녀 | 만기 | - |
| 자녀 (소득有) | 자녀 | 본인 | 자녀 | 본인사망 | - |
| 자녀 (소득有) | 자녀 | 본인 | 배우자 | 만기 | 증여세 |
| 자녀 (소득有) | 자녀 | 본인 | 배우자 | 본인사망 | 증여세 |
| 본인 | 본인1/2 배우자1/2 | 본인 | 자녀 | 만기 | 증여세 |
| 본인 | 본인1/2 배우자1/2 | 본인 | 자녀 | 본인사망 | ½ 상속세 ½ 증여세 |
| 자녀 (증여받아 보험료 납입) | 자녀 | 본인 | 자녀 | 만기 | 증여세 |
| 자녀 (증여받아 보험료 납입) | 자녀 | 본인 | 자녀 | 본인사망 | 상속세 |

## 질문 26: 증여받은 보험금에 증여세를 부과하지 못하는 경우도 있나요?

**계약일**

저축성보험 계약
▶ 계약자 : 자녀(보험료납입자 : 아버지)
▶ 피보험자 : 아버지
▶ 수익자 : 자녀

**만기일**

자녀가 보험금 수령 & 증여세 무신고

**보험금 수령일이 속하는 달의 말일+15년 3개월**

증여세 제척기간 만료
▶ 과세관청 : 증여세 부과 못함

A) 아버지가 보험료를 납입하고 자녀가 수령하는 보험금에 대해서 국세청이 증여세를 과세하지 못하는 시점은 납세자인 자녀가 증여세를 신고하지 않았을 때 국세청이 증여세를 과세할 수 있는 날로부터 15년의 기간이 지나야 한다.
위 사례의 경우에는 아버지가 자녀의 보험료를 대납한 시점부터가 아니라 보험금의 증여시기에 해당하는 자녀의 보험금 수령일이 속하는 달의 말일부터 15년 3개월이 지나야 국세청이 증여세를 부과할 수 있는 제척기간이 만료되어 자녀에게 증여세를 과세하지 못함

### 국세부과의 제척기간(除斥期間), 소멸시효(消滅時效)

| 세목 | 세부내용 | 국세부과권의 제척기간 |
|---|---|---|
| 상속세 및 증여세 | ① 사기·기타 부정한 행위로 조세포탈·환급·공제 시, 무신고·허위신고 또는 누락신고 시 (허위·누락분에 한함) | 15년 |
| | ② ①외의 경우 | 10년 |
| | ③ 상속·증여신고 누락가액이 50억원 초과 | 확인일 후 1년 |
| 이외의 세목 | ① 사기·기타 부정한 행위로 조세포탈·환급·공제 시 (가산세 포함) | 10년 |
| | ② 무신고의 경우 | 7년 |
| | ③ ①,②외의 경우 | 5년 |

※ 국세징수권의 소멸시효 : 권리 행사할 수 있는 때로부터 5년간 행사하지 아니하면 소멸시효가 완성됨
(5억원이상의 국세는 국세징수권의 소멸시효 10년), 다만, 납세고지·독촉·납부최고·교부청구·압류의 경우는 그 시효가 중단됨

□ 상속세·증여세 신고해야 하는 이유
① 증여세 신고 시 향후 자금출처조사 대비 가능 ② 상속 이후 양도 시 양도소득세 절세 가능
③ 상속조사로 추징 될 경우 신고불성실, 납부불성실 가산세 회피 가능

고반물질30은 다모아미디어의 고유자산으로 무단 전제·복제 및 임의 사용시 저작권법 위반으로 5년이하의 징역 혹은 5천만원 이하의 벌금형이 부과됩니다.

# 질문 27: 상속을 포기하면 사망보험금을 받을 수 없나요?

## 계약일 : 채무자와 보험계약 체결후 상속포기시 : 사망보험금 '수령' 가능

**계약일 : 채무자와 보험계약**
- ▷ 계약자/피보험자 : 채무자(피상속인)
- ▷ 수익자 : 법정상속인

**피상속인 : 사망일**
- ▷ 상속인이 상속포기
- ※ 상속인 : 사망보험금 수령가능

A) 법정상속인이 수령하는 사망보험금은 민법상 상속인의 고유재산에 해당하므로 상속인은 상속포기를 하더라도 사망보험금을 수령할 수 있으며, 채무자(피상속인)의 채권자는 상속인이 수령하는 사망보험금을 압류할 수 없다.
※ 상속포기 : 상속인은 상속개시가 있음을 안 날로부터 3월 이내에 피상속인의 사망 당시 주소지 관할 가정법원에 신고해야 함

## 계약일 : 체납자와 보험계약 체결후 체납액 존재중 상속포기시 : 사망보험금 '수령' 가능

**계약일 : 체납자와 보험계약**
- ▷ 계약자/피보험자 : 체납자(피상속인)
- ▷ 수익자 : 법정상속인

**피상속인 : 사망일**
- ▷ 피상속인 체납액 존재 & 상속포기 & 상속인이 보험금 수령
- ※ 과세관청 : 사망보험금 압류가능 ( ? )

A) 상속세 및 증여세법 제8조 [상속재산으로 보는 보험금]
① 피상속인의 사망으로 인하여 받는 생명 또는 손해보험의 보험금으로서 피상속인이 보험계약자인 보험계약에 의하여 받는 것은 상속재산으로 본다.
② 보험계약자가 피상속인이 아닌 경우에도 피상속인이 실질적으로 보험료를 납부했을 때에는 피상속인을 보험계약자로 보아 제1항을 적용

A) 국세기본법 제24조 [상속으로 인한 납세의무의 승계]
① 상속이 개시된 때에 그 상속인[수유자(受遺者)를 포함] 또는 민법 제1053조에 규정된 상속재산관리인은 피상속인에게 부과되거나 그 피상속인이 납부할 국세·가산금과 체납처분비를 상속으로 받은 재산의 한도에서 납부할 의무를 진다.
② 제1항에 따른 납세의무 승계를 피하면서 재산을 상속받기 위하여 피상속인이 상속인을 수익자로 하는 보험계약을 체결하고 상속인은 민법 제1019조 제1항에 따라 상속을 포기한 것으로 인정되는 경우로서 상속포기자가 피상속인의 사망으로 인하여 보험금 (상속세 및 증여세법 제8조에 따른 보험금)을 받는 때에는 상속포기자를 상속인으로 보고, 보험금을 상속받은 재산으로 보아 제1항을 적용한다. 〈 신설 2014.12.23 〉

## 질문 28: 안심상속 원스톱 서비스가 뭔가요?

### 상속재산 확인 방법 _ 안심상속 원스톱 서비스

가까운 시, 구, 읍, 면, 동 주민센터(가족관계등록 담당공무원)를 방문하여
'한 번에 통합신청'을 하면
사망자의 금융거래, 토지, 자동차, 국민연금, 국세, 지방세 등
6종의 재산 조회가 가능하고 은행별로 예금 잔액까지 확인할 수 있다.

▶ 예금[잔액(원금)], 보험[가입 여부], 투자상품[ 예탁금 잔고 유무], 상조회사[가입 유무] 등

▶ 토지, 지방세, 자동차 정보는 7일 이내 / 금융, 국세, 국민연금 정보는 20일 이내

▶ 토지, 지방세, 자동차 정보는 문자, 우편, 방문 중에서 선택 가능.

▶ 금융거래는 금융감독원 ( www.fss.or.kr )에서 확인 가능.

▶ 국민연금은 국민연금관리공단 ( www.nps.co.kr )에서 확인 가능.

▶ 국세는 국세청 ( www.hometax.go.kr )에서 확인 가능

상속증여

## 질문 29: 상속세 신고 시 감정평가금액으로 신고하는게 유리한가요?

### 📋 감정평가를 받을 필요가 있는지를 검토하라!

배우자공제 등 공제한도가 충분한 경우 감정평가를 받아 재산가액을 높이더라도 상속세의 추가 부담이 없는 경우 높아진 재산가액은 취득가액이 되어 향후 재산을 양도할 시 양도소득세를 줄일 수 있다.

▶ 4개월 전 돌아가신 아버지 소유 토지 내역 : 상속개시일 현재
　① 토지 공시지가 4억원  ② 토지 시세 12억원  ③ 배우자와 아들 1인에게 법정지분대로 상속재산을 분할 할 예정
▶ 12억원에 사려는 사람 나타남
▶ 토지를 지금 양도하는 경우와 나중에 양도하는 경우 어떤 것이 절세효과가 큰가?

### 📋 상속개시일로부터 6개월이 지나서 양도한 경우

| ① 상속세 | |
|---|---|
| 토지 | 400,000천원 |
| 일괄공제 | (-) 500,000천원 |
| 배우자공제 | (-) 500,000천원 |
| 과세표준 | 0 |
| 상속세 납부세액 | 0 |
| ② 양도소득세 (1년 후 12억원으로 양도) | |
| 양도가액 | 1,200,000천원 |
| 취득가액 | 400,000천원 |
| 산출세액 | 319,000천원 |
| 지방소득세 | 31,900천원 |
| 합 계 | 350,900천원 |

### 📋 상속개시일로부터 6개월이내에 양도한 경우

| ① 상속세 | |
|---|---|
| 토지 | 1,200,000천원 |
| 일괄공제 | (-) 500,000천원 |
| 배우자공제 | (-) 720,000천원 |
| 과세표준 | 0 |
| 상속세 납부세액 | 0 |
| ② 양도소득세 (5개월 만에 12억원으로 양도) | |
| 양도가액 | 1,200,000천원 |
| 취득가액 | 1,200,000천원 |
| 산출세액 | 0 |
| 지방소득세 | 0 |
| 합 계 | 0 |

## 질문 30: 상속재산이 고액일 경우 사후관리시 주의할 점은 없나요?

### 🖐 고액재산 사후관리에 유의하라!

상속세를 **신고**한 상속재산가액이 **30억원 이상**인 경우로서 상속개시 후 **상속개시일부터 5년**이 되는 날까지의 기간 **이내**에 상속인이 보유한 부동산, 주식 등 **주요재산**의 **가액**이 상속개시 당시에 비하여 **크게 증가한 경우**에는 상속세를 **신고한 내역**에 **탈루** 또는 **오류**가 있는지를 **조사**

- ▶ 상속재산 20억 이상 : 금융재산 일괄조회 실시
- ▶ 상속재산 50억 이상 : 지방국세청이 세무조사 실시

### 🖐 사망시점, 납세의무가 성립되는 대표세금 유의하라!

- ▶ **종합소득세와 지방소득세** : 매년 12월 31일
- ▶ **부가가치세** : 매년 6월 30일과 12월 31일
- ▶ **종합부동산세** : 매년 6월 1일
- ▶ **재산세** : 매년 6월 1일
- ▶ **주민세** : 균등분은 매년 8월 1일, 재산분은 매년 7월 1일

- ■ **사망일 현재 피상속인이** 납부할 의무가 성립된 **각종 공과금과 세금**들도 납부고지서를 수령하지 않았거나 자진해서 신고서를 제출하지 않았다 해도 **상속세에서 차감**해 주므로 간과해서는 안된다.
- ■ **상속개시일** 즉, **사망일이 언제**인지에 따라 **상속세의 크기가 달라**질 수 있으므로 공과금이나 세금도 체크해야 한다.

상속증여

---

ⓜ 고반물질30은 다모아미디어의 고유자산으로 무단 전제·복제 및 임의 사용시 저작권법 위반으로 5년이하의 징역 혹은 5천만원 이하의 벌금형이 부과됩니다.

# 고객이 반드시 물어보는 질문 30가지
## 고반물질30
ver.20211101

태블릿앱 + 스마트폰앱 + 북 [손보·생보 각2권]

### 고반물질30_정의

**보험세일즈북의 '실전편'**

- 기존 보험세일즈북 : 보험세일즈의 교과서_이론편 [총160페이지]
- 고반물질 30 : 보험세일즈북의 참고서_실전편 [총500가지 질문]
  - 보험영업사원들이 24시간 언제, 어디서든 학습을 통해 생·손보 상품 총16개를 학습함으로써 생보출신이든 손보출신이든 원수사 조직이든 GA조직이든 보험의 전반적인 지식 체득 가능

### 고반물질30_구성    앱[스마트폰·태블릿] & 북[4권]

**총16개과목 [손보8개+생보8개] : "총500개_교육동영상"**

- 손해보험 [8개] : 260가지 질문
  ① 자동차보험(30개) ② 운전자보험(30개) ③ 의료실비보험(30개) ④ 화재보험(50개)
  ⑤ 배상책임보험(30개) ⑥ 암보험(30개) ⑦ 뇌·심·다빈도질병보험(30개) ⑧ 골프보험(30개)
- 생명보험 [8개] : 240가지 질문
  ① 종신·정기·CI보험(30개) ② 변액보험(30가) ③ 연금·저축보험(30개) ④ 단체보험(30개)
  ⑤ 간병보험(30개) ⑥ CEO플랜(30개) ⑦ 상속·증여(30개) ⑧ 치아보험(30개)

### 고반물질30_이용방법

**플레이스토어 or 앱스토어 실행**
=> "고반물질30" 검색
=> 다운로드 => 열기

- 고반물질30 앱은 구매후 사용 가능하며 구입문의는 뒷면 연락처로 문의 바랍니다.

### 고반물질30_샘플동영상

의료실비보험 질문07     CEO플랜 질문12     암보험 질문01

---

**고반물질30은 동영상(태블릿 or 스마트폰)+교재(book)로 반복 학습하셔야 효과를 극대화 하실 수 있습니다**

고객이 반드시 물어보는 질문 30가지

# 고반물질30 _ 생명보험 2편

초판 1쇄  2020년 11월 15일
4판 1쇄  2024년 05월 15일

| | |
|---|---|
| 지은이 | 이은석 |
| 발행인 | 조미경 |
| 디자인 | 다모아미디어 |
| 편집장 | 이영필 |

| | |
|---|---|
| 발행처 | 다모아미디어 |
| 주소 | 울산광역시 남구 왕생로 45번길 10, 다모아빌딩 |
| 문의전화 | 010-4687-4930 |
| 홈페이지 | www.damoamedia.com |
| 출판신고번호 | 제 2020-000015호  ｜  신고일자 2020년 9월 29일 |

ISBN
ISBN

잘못된 책은 바꾸어 드립니다.

**이책은 저작권법에 따라 보호받는 저작물이므로 무단 전재와 무단 복제를 금하며,
책 내용의 전부 또는 일부를 이용하려면 반드시 다모아미디어와 저작권자의 동의를 받아야 합니다.**